O PERE

O
PEREGRINO

John Bunyan

O Peregrino

Tradução de
Claudio Blanc

Copyright © 2018 by John Bunyan.

8ª edição – Fevereiro de 2024

Grafia atualizada segundo o Acordo Ortográfico da Língua Portuguesa de 1990, que entrou em vigor no Brasil em 2009.

Editor e Publisher
Luiz Fernando Emediato

Capa, Projeto Gráfico e Diagramação
Alan Maia

Preparação
Hugo Almeida

Revisão
Sandra Martha Dolinsky
Livia Koelp

Dados Internacionais de Catalogação na Publicação (CIP)
de acordo com ISBD

B942p   Bunyan, John, 1628-1688
           O Peregrino /
   John Bunyan ; traduzido por Claudio Blanc.
   - São Paulo : Jardim dos Livros, 2024.
           224 p. : il. ; 15,6cm x 23cm.

           ISBN: 978-85-8484-020-5

   1. Literatura inglesa. 2. Ficção Cristã. 3. Religião e espiritualidade.
   4. Peregrinação. I. Blanc, Claudio. II. Título.

                                                              CDD 820
2019-199   CDU 821.111

Elaborado por Odilio Hilario Moreira Junior – CRB-8/9949

Índices para catálogo sistemático
1. Literatura inglesa 820
2. Literatura inglesa 821.111

JARDIM DOS LIVROS
Rua João Pereira, 81 – Lapa
CEP: 05074-070 – São Paulo – SP
Telefone: +55 11 3256-4444
E-mail: geracaoeditorial@geracaoeditorial.com.br
www.geracaoeditorial.com.br

Impresso no Brasil
Printed in Brazil

PREFÁCIO

Nenhuma outra obra em inglês, a não ser a Bíblia, foi tão lida nos últimos 340 anos quanto O *Peregrino*, de John Bunyan. Lançado em 1678, o livro tem sido publicado desde então, traduzido para mais de duzentas línguas. É, sem dúvida, um dos trabalhos mais significativos da literatura religiosa inglesa.

A influência desse texto é considerável. No século XVIII, tornou-se livro obrigatório na educação cristã infantil. No século seguinte, segundo Edward Palmer Thompson (1924-1993), considerado o maior historiador inglês da última centúria, O *Peregrino* foi um dos textos "fundamentais do movimento trabalhista inglês". Na Primeira Guerra, milhares de soldados britânicos recorreram ao livro em busca de iluminação espiritual para tentar entender a tragédia à qual estavam sendo expostos. Diversas imagens, nomes e metáforas usadas no livro acabaram se tornando parte da língua inglesa corrente. Com efeito, O *Peregrino* é um dos maiores clássicos da literatura mundial.

O livro, que muitos consideram o primeiro romance da língua inglesa, é uma alegoria, inspirada, segundo diversos autores, na *Divina Comédia*, de Dante, bem como em várias obras devocionais cristãs anteriores, que descreviam o caminho para o céu. Escrito num estilo simples e calcado em passagens bíblicas, continua a ser um texto fundamental, tanto em termos religiosos como literários. Conforme escreveu o poeta e ensaísta inglês Samuel Johnson (1709-1784), "o grande mérito desse livro é que nenhum homem culto consegue encontrar algo superior para enaltecer, assim como as crianças não encontram nada mais divertido para ler".

A VIDA E A ÉPOCA DE JOHN BUNYAN

John Bunyan (1628-1688) viveu num dos períodos mais turbulentos da história da Inglaterra. Quando tinha catorze anos, a tensão entre o rei e o Parlamento levou a uma sangrenta guerra civil, que terminou com a derrota e execução de Carlos I. Assim, a Inglaterra tornou-se uma república. Com o novo regime, a Igreja Anglicana foi radicalmente alterada. Na esteira, surgiram diversas congregações independentes e grupos religiosos que se declaravam independentes de qualquer Igreja.

John Bunyan nasceu numa pequena aldeia, Elstow, filho de um funileiro. Embora tenha tido uma infância pobre, frequentou a escola local, o que lhe permitiu ter acesso aos livros e à leitura. Aos 16 anos, tornou-se soldado do exército parlamentar. Bunyan não tomou parte em combates, mas o ambiente do exército o influenciou por conta das ideias políticas e religiosas revolucionárias às quais foi exposto. Aos dezenove anos, voltou para Elstow para assumir a oficina do pai.

O Peregrino

Esse foi um período de crise espiritual para Bunyan. Contudo, ele conseguiu superar seus conflitos ao recorrer à leitura da Bíblia. Um fato importante na sua conversão foi o ingresso na Igreja Independente, em 1653. Poucos anos depois, ele passou a pregar nessa denominação. Nessa época, quando a república exercia tolerância religiosa, Bunyan também começou a escrever.

Entretanto, os ventos da política mudaram, quando a monarquia foi restaurada, em 1660, e a Igreja da Inglaterra foi restabelecida. Com isso, iniciou-se uma perseguição aos puritanos, e qualquer culto que não o anglicano foi proibido. Os trinta anos seguintes foram de opressão aos dissidentes religiosos, tanto que o período veio a ser chamado de a Grande Perseguição. Dependendo da gravidade e reincidência dos casos, os transgressores eram multados, ou presos, ou desterrados, ou mesmo condenados à morte. De fato, a Restauração na Inglaterra foi cruel. Centenas de pessoas foram executadas e muitas mais tiveram sua saúde arruinada por longos períodos nas masmorras imundas e superlotadas.

Por conta de sua fé, Bunyan enfrentou tal destino. Passou quase doze anos preso (entre novembro de 1660 e maio de 1672), uma das mais longas sentenças dadas a qualquer dissidente no período pós-revolucionário. Foi nessa época que Bunyan escreveu *O Peregrino*. Em 1672, foi libertado por meio de um indulto real e obteve licença para pregar, tornando-se um líder ativo entre as confissões cristãs dissidentes.

No entanto, Bunyan voltou a ser aprisionado em 1677. Nos seis meses que ficou encarcerado, ele deu a forma final à sua obra maior, *O Peregrino*. Na década seguinte, Bunyan intensificou ainda mais sua atividade literária. Sua vasta produção chega a sessenta títulos, catorze deles publicados postumamente. Entre esses títulos está a segunda parte de *O Peregrino*, que veio a público em 1685.

Bunyan morreu em 1688, de uma febre contraída ao viajar sob forte chuva.

O TEXTO

O Peregrino é uma alegoria, uma forma literária popular na Idade Média e que até o século XVII se manteve como um recurso narrativo bastante comum. Os locais e personagens das alegorias não são pessoas, mas personificações de qualidades ou de ideias abstratas. Assim, a viagem empreendida pelo protagonista, chamado Cristão, trata-se, na verdade, de uma metáfora da experiência de conversão de um cristão em busca de sua salvação. A história é sobre a fuga de Cristão da Cidade da Destruição e sua viagem à procura da Cidade Celestial, enfrentando perigos e inimigos mortais ao longo do caminho. Seu fundamento é a certeza da existência de um mundo futuro, melhor e realmente justo, que será alcançado depois da morte e ao qual apenas os bons cristãos têm acesso.

A jornada de salvação empreendida pelo protagonista se desenvolve de acordo com a interpretação das denominações religiosas independentes, de uma das quais Bunyan era membro e pregador ativo. É uma postura radical, que coloca o esforço cristão pela salvação acima de instituições como a família, o Estado e até mesmo das Igrejas anglicana e católica.

Como se poderia esperar, *O Peregrino* reflete a época de reviravoltas políticas e religiosas em que foi escrito. O texto revela, por exemplo, a franca hostilidade ao papismo, reflexo da antipatia que a teologia protestante inglesa nutria pela Igreja Católica. Em pelo menos duas passagens Bunyan se refere a Roma de forma depreciativa e descreve o papa como um gigante decrépito e já sem poder. Em outras passagens, condena a vida mundana e a falsa religiosidade.

A TRADUÇÃO

Esta tradução traz o texto integral original de *O Peregrino* e busca preservar sua clareza e o poder cativante de sua narrativa. Os pronomes pessoais em voga no século XVII foram, porém, substituídos por suas formas modernas, de modo a evitar a estranheza que resultaria desse radicalismo. Também procuramos manter, sempre que possível, as aliterações do original. No texto original, a narrativa não é dividida em capítulos, o que preservamos na tradução. Bunyan faz diversas indicações, ao longo do livro, das passagens bíblicas nas quais a narrativa se baseia. Nesta edição, além de indicar os capítulos e versículos bíblicos, eles são citados na íntegra, de modo a facilitar a leitura ou estudo da obra.

Desse modo, trazemos ao leitor uma tradução atualizada e fiel, que preserva a simplicidade da linguagem cotidiana ao mesmo tempo que mantém certo sotaque do século XVII.

Claudio Blanc
Julho de 2018

A APOLOGIA DO AUTOR PARA ESTE LIVRO

uando, de início, tomei a pena na mão
Para assim escrever, não tinha compreensão
Que deveria compor um livro acabado
Como este; não, outro tinha eu iniciado,
Mas, quando estava quase pronto,
Antes de perceber, me veio este conto.

E assim foi: eu, escrevendo sobre o modo velho
E a raça dos santos, nesse dia do nosso Evangelho,
Comecei repentinamente uma alegoria
Sobre o caminho da jornada para a divina alegria,
E mais de vinte coisas defini.
Feito isso, mais vinte antevi,
E, de novo, começaram a se multiplicar
Como faíscas que do fogo saltam a voar.

John Bunyan

Não, pensei eu, se surgem tão rapidamente,
Devo, então, pô-las de lado veementemente
Para que não se multipliquem ad infinitum a corroer
O livro que estou pronto para escrever.

E assim fiz eu. No entanto, evito
Mostrar ao mundo meu escrito.
Nunca pensei em esta história contar
Apenas para meu vizinho agradar.
Não, não eu. Lancei-me neste ofício
Para meu próprio benefício.

Nada fiz eu, então, a não ser as estações passar
A escrever. Tampouco queria algo conquistar
Além de distrair-me com essa tarefa
De pensamentos torpes, como aqueles de quem blefa.

Deste modo, deixei correr a pena sobre o papel,
E, célere, meus pensamentos registrei de modo fiel.
Agora, com meu método aperfeiçoado,
O texto vinha sem precisar ser buscado.
E assim, redigi o livro até ele ficar
Do tamanho e da largura que agora está.

Bem, quando, então, o livro terminei,
O texto a outros mostrei
Para ver se o condenavam ou o aprovavam.
E enquanto alguns gostavam, outros condenavam.
Alguns disseram: "John, publique", e outros, "não!";
Alguns disseram: "é bom", e outros, "é uma negação!".

O Peregrino

Então eu não sabia bem o que fazer,
Qual seria a melhor coisa a empreender.
Pensei: para que o problema seja superado,
O melhor a fazer é ter o texto publicado.

Pois, pensei, alguns assim o fariam,
Mas outros desse modo não se arriscariam:
Assim, para ver se era melhor publicar,
Resolvi o conteúdo testar.

Ponderei ainda mais, não posso negar,
Que muitos que o leriam desejavam meu azar.
Na dúvida, movi esforço que impediria
Aquilo que para alguns traria grande alegria.

Aos contrários à sua publicação,
Eu disse: não vos ofendais com a edição.
Esperai de vossos irmãos o parecer
Para que, então, possais ver.

Se não quiserdes ler, deixai-o em paz;
Afinal, alguns preferem azul; outros, lilás.
Sim, para que os pudesse acalmar,
Eu assim me pus a reclamar:

Não posso escrever nesse estilo?
E com esse método, revelar ao pupilo
Minha boa intenção? Por que não pode assim ser?
Nuvens claras, tempo bom; e as negras fazem chover.

John Bunyan

Mas negras ou claras, se suas gotas de prata
Ao cair na terra produzem o verde da mata,
Agradecei a ambas e delas não reclamai;
Valorizai a colheita que desejais que a planta derrame.

Assim, a planta mescla ambas em seu fruto
E ninguém as distingue: à planta só importa o usufruto
Quando tem fome; mas quando está cheia,
Vomita ambas, e o que produz é como areia.

Observai os meios que o pescador emprega
Para o peixe apanhar: o produto que ele entrega.
Vede como ele usa todo seu conhecimento;
E também rede, isca, anzol e todo equipamento.

Mas há peixes que nem anzol, nem linha, os pode pegar;
Nem rede, nem armadilha os pode capturar.
Esses devem ser buscados e incitados,
Ou, do contrário, não serão apanhados.

Como o caçador busca capturar a presa
De tantas maneiras! E assim realiza sua empresa:
Suas armas, redes, arapucas, matracas e mais.
Ele rastreia, rasteja, anda; o que for preciso ele faz.
Alguém pode dizer mais o quê? Porém, nem pau nem aço
Faz que a presa mais almejada caia no laço.
Ele precisa o animal atrair para então o abater;
Mesmo assim, não é difícil o perder.

Se um tesouro pode estar sob a terra,
Ou também pode se encontrar na serra;
Se as coisas que nada prometem contêm

O Peregrino

Por vezes mais que ouro; e quem veria com desdém
Se pressentisse que vale a pena o ver
E, talvez, ali o tesouro encontrar? Quem meu livro ler
(embora sem todas essas pinturas que devem estimular
Este ou aquele outro homem o livro levar)
Verá que ele tem as coisas que excedem
Noções admiráveis, mas vazias, que se sucedem.

"Bem, ainda quero ser contestado
Quanto ao livro ser bom mesmo ao ser testado."
Por que, qual é o problema? "É sombrio." E daí?
"Mas é ficção." Não há qualquer problema aqui.
Alguns, com ficções tão sombrias como as minhas,
Fazem os raios da verdade cintilar nas entrelinhas.

"Eles querem fatos concretos." O que estas palavras encerram?
"A ficção nos confunde; as metáforas nos cegam."

A pena traz fatos concretos
Se fala de eventos justos e retos;
Mas o que escrevo não é tangível
Porque por metáforas digo? Não é inteligível
A lei de Deus que foi passada por metáforas,
Por tipos, sombras e anáforas?
Nenhum homem sensato veria defeito
Nelas, que levam, com efeito,
À sabedoria maior. Não. É melhor ele parar
E buscar entender o que, por meio de mar e ar,
De bezerros e carneiros, de novilhas e cordeiros,
De aves e ervas, e pelo sangue dos terneiros,
Deus quer lhe dizer. E feliz daquele
Que graça e luz encontra nas palavras d'Ele.

John Bunyan

Não sejais, então, precipitados em concluir
Que quero fatos concretos, que quero destruir.
O concreto, de perto, demonstra não ser tão concreto;
A parábola, porém, mostra sempre o correto;
Para que recebamos as dores com mais leveza,
E para que das coisas boas tenhamos certeza.

Minhas palavras sombrias trazem a verdade,
Assim como o ouro garante a prosperidade.

Os profetas de metáforas lançavam mão
Para a verdade dizer. Os que consideram Cristo verão
Que Ele e seus apóstolos também tal meio usaram,
E, com ele, até hoje, a verdade preservaram.

Receio dizer que o texto sagrado,
Com seu estilo a sabedoria tem registrado.
Esses escritos estão repletos dessa alusão:
figuras sombrias, alegorias? Mas dali sairão,
Desse mesmo livro, o brilho e os raios de luz
Que anulam a escuridão: e, então, o mundo reluz.

Que minha crítica à vida deles revele o lado restrito,
Aquelas coisas mais sombrias que as do meu escrito.
Sim, eles as reprovam, mas não reconhecem
Que também em sua vida tais coisas aparecem.
Que fiquemos diante de homens imparciais,
Que, comparados a outros, são essenciais,
E eles compreenderão meus escritos de modo mais claro,
Mais que as mentiras que contam nos templos de ouro caro.
Vinde, a verdade, mesmo que de cueiros, não se mente,
Esclarece o julgamento, purifica nossa mente;

O Peregrino

Satisfaz a compreensão e controla a vontade —
E faz isso por inteiro, não pela metade.
À memória confere o que apraz a imaginação,
E, assim, com essa ajuda, os problemas se resolverão.

Palavras sábias, bem sei, Timóteo usou,
E fábulas e superstições ele recusou;
Mas nem mesmo o sério Paulo disse não
Para que de parábolas ele lançasse mão;
Parábolas que trazem as pérolas do mar,
Tesouros dignos de se procurar.

Ó homem de Deus, ofendido ficaste,
Pois querias que este tema eu colocasse
De outro modo, com outra abordagem?
Ou que eu isso expressasse com mais camaradagem?
Três coisas proponho, então, me submeto
Àqueles que são os melhores e não me intrometo.

Penso que não tenho negado o uso
Do meu método, por isso não há abuso
Nas palavras, coisas, leitores; ou, sendo rude,
Ao manipular as figuras, nem similitude
Na aplicação. Tudo que desejo ter feito
É ter contado a verdade desse ou daquele jeito.
Negado, disse eu? Não, eu deixo
(Exemplo, também, daqueles que, sem desleixo,
Agradam a Deus, seja com palavra ou ato,
Melhor que os de quaisquer homens, de fato.)
Que eles sejam minha expressão e declaram
Coisas que a tudo e todos aclaram.

John Bunyan

Vejo que homens de vulto escrevem
Em forma de diálogo; mas outros não se atrevem
A censurá-los por isso: de fato, se há abuso,
Que sejam amaldiçoados por fazerem tal uso
Desse recurso. Que livre seja a verdade,
E que sobre mim e ti marque sua identidade,
Pois isso agrada a Deus; afinal, quem sabe melhor
Que aquele que nos ensinou a lavrar, nosso Senhor,
Que, em seu plano, guia nossa mente e nossa palavra,
E que transforma coisas terrenas em divina lavra?

Descubro que os textos sagrados de muitos lugares
Usam tal método com efeitos invulgares
Ao lançar mão de imagens para mostrar a realidade.
Posso usá-las também eu, e com plena liberalidade,
Sem macular o ouro da verdade; ao contrário, com elas
Posso fazer brilhar ainda mais a veracidade que compele.
E assim, tais certezas com imagens descreverei,
E o valor deste meu livro demonstrarei.
Então, recomendarei o texto e a ti, leitor,
Àquele que derruba o forte e no fraco vê valor.

Este livro descreve de modo terno
O homem que busca o prêmio eterno,
Mostra de onde ele vem e para onde vai;
Seus atos bons e as ações com as quais ele cai.
Conta, enfim, toda a história
Sobre como ele alcança sua glória.

Também mostra que quem que sai pela vida
De modo fátuo, como se assim pudesse ser obtida
A coroa que buscam. Aqui também vais ver
Como seu labor se perde e como eles vêm a morrer.

O Peregrino

Este livro te levará a viajar,
Caso seus ensinamentos resolvas adotar.
Ele te levará até a Terra Santa,
Pois mostra o caminho e a jornada adianta:
Ele torna ativo o indolente,
E, com seu saber, ilumina a mente.

Não seria bom se estivesse implícito
O sentido da verdade por trás de um mito?
— Você és esquecido? Acaso te lembrarias
Durante um ano todo, a cada dia?
Então, lê minhas fantasias e elas trarão
Sabedorias, e aos desamparados confortarão.
Este livro é escrito de um tal jeito
Que até ao mais apático traz proveito.
Parece uma novidade, em nada velho,
Mas tudo que aqui está se encontra no Evangelho.
Tu te afastarias da melancolia?
Longe do desvario, que de longe sorria?
Lerias os enigmas e sua explicação?
Ou, ao contrário, afogar-te-ias em contemplação?
Amas os prazeres da carne? Ou verias
Um homem nas nuvens e ouvirias o que te diria?
Poderias estar num sonho, mas acordado?
Ou se, num momento, pelo riso e pela lágrima fosses tocado?
Sem sofrer nem causar mal, tu te perderias,
E, então, de novo, capaz de reencontrar-te serias?

Poderias ler, sem mesmo saber o que, de fato,
E, mesmo assim, saber se és ou não abençoado,

Ao ler estas linhas? Ah, então vem, atento e desperto,
E abre meu livro, com a mente alerta e o coração aberto.

Ao caminhar pelo deserto deste mundo, cheguei a determinado lugar, onde havia uma cova[1]; lá deitei-me para dormir; e, enquanto dormia, tive um sonho. Sonhei, e eis que vi um homem vestido com trapos, em pé em certo local, de costas para sua casa, um livro na mão[2] e um grande fardo[3] sobre as costas. Olhei e vi-o abrir o livro e ler. E, enquanto lia, chorava e tremia; "O que devo fazer?".[4]

---

[1] No simbolismo cristão, a cova, ou caverna, representa uma fonte espiritual. Exemplos são a manjedoura em que Jesus nasceu, no interior de uma caverna; também João, o Evangelista, recebeu suas visões do Apocalipse numa caverna, em Patmos.

[2] A Bíblia.

[3] O peso dos pecados, de uma vida impura.

[4] Atos 2:37: "E, ouvindo eles isto, compungiram-se em seu coração, e perguntaram a Pedro e aos demais apóstolos: Que faremos, homens irmãos?". Observação: este e outros trechos citados da Bíblia têm como referência a edição de 1987 da Sociedade Bíblica do Brasil, tradução de João Ferreira de Almeida.

Nessa situação, foi para casa e conteve-se o quanto pôde para que sua esposa e filhos não percebessem a angústia que o dominava; mas não conseguiu ficar em silêncio por muito tempo, pois sua aflição só aumentava. Então, finalmente, abriu sua mente para a esposa e os filhos. E assim dirigiu-se a eles:

— Minha querida esposa — disse ele —, e vocês, filhos da minha carne, eu, seu caro amigo, estou atormentado por um fardo que me preocupa, pois sei que nossa cidade será destruída pelo fogo dos Céus. Uma queda terrível trará a ruína a mim, a ti minha esposa, e a vós, meus doces filhos, exceto (o que ainda não vejo) se encontrarmos alguma maneira de escapar e nos salvarmos.

Ao ouvir essas palavras, a mulher e os filhos foram tomados por triste espanto. Não porque houvessem acreditado que o que escutaram fosse verdade, mas porque pensaram que ele havia sido dominado pela loucura. Assim, como a noite chegava, com toda pressa eles o levaram para a cama, esperando que o sono pudesse acalmar sua cabeça. A noite, porém, foi tão difícil para ele quanto o dia havia sido. Em vez de dormir, ele passou a madrugada entre suspiros e lágrimas. Então, quando chegou a manhã, seus familiares o procuraram para saber como ele estava. E o pai lhes respondeu que havia piorado. E repetiu o que havia dito antes; mas a esposa e os filhos endureceram. Tentaram recobrar sua razão tratando-o de forma áspera e grosseira: ora o ridicularizavam, ora o repreendiam, e, por vezes, simplesmente o ignoravam. Por isso, ele passou a se retirar com mais frequência a seu quarto para orar, cheio de piedade pelos seus e buscando consolar seu próprio sofrimento. Também caminhava solitário pelos campos, às vezes lendo e às vezes orando. E assim passou o tempo por alguns dias.

Então, em meu sonho, vi-o andando pelos campos, lendo seu livro, muito angustiado. E, enquanto lia, irrompeu em lágrimas como antes, balbuciando:

— O que devo fazer para ser salvo?

Vi também que olhava para frente e para trás, como se estivesse fugindo. Mesmo assim, ele parou, porque, conforme percebi, não sabia o caminho a seguir. Olhei de novo e vi um homem chamado Evangelista, que dele se aproximou e perguntou:

— Por que choras?

— Senhor — respondeu ele —, percebo, pelo livro que tenho em mãos, que estou condenado a morrer, e, então, a ser julgado. Contudo, não estou disposto a enfrentar a morte, tampouco vejo-me capaz de ser absolvido.

— Por que não estás disposto a morrer — perguntou Evangelista —, já que esta vida é repleta de males?

— Porque temo que esse fardo que está sobre as minhas costas me afundará mais que meu próprio túmulo, levando-me a cair em Tofete[5]. E, senhor, se não quero ir para a prisão, temo ser julgado, e, então, executado. Tais pensamentos me desesperam até as lágrimas.

— Então — disse Evangelista —, se estás nesse estado, por que ainda estás parado?

E o homem respondeu:

— Porque não sei aonde ir.

Então, Evangelista lhe entregou um pergaminho, onde se lia: "Foge da ira futura"[6].

O homem leu aquelas palavras, e olhando Evangelista com atenção, indagou:

— Para onde eu devo fugir?

Evangelista apontou para um campo muito extenso.

---

[5] "Local da Chama": lugar em Jerusalém, no Vale de Hinom, onde os seguidores do panteão canaanita sacrificavam crianças aos deuses Moloque e Baal, queimando-as vivas.

[6] Mateus 3:7: "E, vendo ele muitos dos fariseus e dos saduceus, que vinham ao seu batismo, dizia-lhes: Raça de víboras, quem vos ensinou a fugir da ira futura?".

— Vês aquela porta estreita[7]?

— Não — respondeu o homem.

— Vês a luz[8] que brilha na distância?

— Acho que sim — disse.

— Então — instruiu Evangelista — não perde de vista essa luz e segue diretamente em sua direção até ver a porta estreita. Bate, e te será dito o que fazer.

---

[7] A porta, assim como o portal, o portão e a ponte, representa a passagem de uma esfera a outra — deste mundo para o Além, ou do profano para o sagrado. As representações de Cristo nas portas medievais referem-se às suas palavras: "Eu sou a porta".

[8] Um importante símbolo cristão, a luz é uma metáfora do espírito e da divindade, bem como da imortalidade, da eternidade, do paraíso, da pureza, da revelação, da sabedoria, da majestade e da própria vida. Na tradição judaico-cristã, a luz eterna é a recompensa dos virtuosos. Um dos epítetos de Cristo é "A Luz do Mundo".

"*Cristão*, assim que o mundo abandona, logo encontra
Evangelista, que com amor o saúda,
Com notícias de outrem e lhe mostra lá
Os modos de como o que lhe é inferior superar"

Daí, vi no meu sonho o homem começar a correr. Não se afastou muito de sua casa, mas sua esposa e seus filhos perceberam que se ia e começaram a chorar, suplicando para que voltasse; contudo, o homem colocou os dedos nos ouvidos e continuou correndo, chorando e gritando:

— Vida! Vida! Vida Eterna!

E, sem olhar para trás, fugiu rumo ao meio do campo.

Os vizinhos também saíram de suas casas para observar a fuga. Alguns zombaram dele, outros fizeram ameaças, e alguns gritaram, pedindo que voltasse. E entre os vizinhos, havia dois que decidiram trazê-lo de volta à força. O nome de um era Obstinado, e o do outro, Inconstante. O homem havia se distanciado deles, mas os dois estavam resolvidos a buscá-lo. Assim fazendo, logo o alcançaram, e o homem lhes perguntou:

— Vizinhos, por que vieram atrás de mim?

— Para convencer-te a voltar conosco — disseram.

— Isso não pode ser, de modo algum — replicou o homem. — Vós viveis na Cidade da Destruição, o lugar onde também eu nasci. Se lá morrerdes, afundareis na terra abaixo de vosso túmulo e caireis num lugar onde ardem fogo e enxofre. Regozijai-vos, bons vizinhos, e vinde comigo.

— O quê? — surpreendeu-se Obstinado. — E deixar os amigos e o conforto para trás?

— Sim — respondeu Cristão[9], pois esse era seu nome —, porque aquilo que abandonas[10] não se compara nem um pouco

---

[9] *Christian* é a forma inglesa do substantivo "cristão, mas também é o nome próprio *Cristiano*, que tem origem no latim *Christianus*, que, por sua vez, se originou da palavra *Christós*, do verbo grego *chrio*, que quer dizer 'ungir'. Cristo foi um título dado a Jesus de Nazaré por ser o *Ungido de Deus*, isto é, o Messias prometido aos judeus. Como *O Peregrino* é uma alegoria, nesta tradução preferimos usar o substantivo "Cristão" como nome próprio do protagonista, em lugar de Cristiano.

[10] 2 Coríntios 4:18: "Não atentando nós nas coisas que se veem, mas nas que se não veem; porque as que se veem são temporais, e as que se não veem são eternas."

O Peregrino

àquilo que aproveitarei. E se estiverdes comprometidos a me acompanhar, encontrareis as mesmas coisas que procuro, pois lá aonde vou há o bastante e de sobra. Vinde e confirmai minhas palavras.

— Mas, o que é isso que procuras, que te obriga a deixar todo o mundo para trás a fim de ser encontrado? — indagou Obstinado.

— Procuro uma herança incorruptível, imaculada e que não desvaneça, uma herança que está guardada no céu, segura, que será concedida, no momento certo, àqueles que a buscam com diligência. Lede isto, se desejardes, no meu livro.

— Besteira! — retrucou Obstinado. — Afasta esse livro daqui. Vais voltar conosco ou não?

— Não, não vou — respondeu Cristão —, porque coloquei minha mão no arado[11].

— Vem, então, meu vizinho Inconstante, voltemos para casa sem ele. Esses tolos enlouquecidos, quando metem uma coisa na cabeça, julgam-se mais sábios que sete homens de bom juízo[12].

— Não o ofenda! — opôs-se Inconstante. — Se o que o bom Cristão diz for verdade, as coisas que ele busca são melhores que as nossas, e meu coração se inclina a seguir nosso vizinho.

— O quê!? Mais um tolo! Ouve o que digo e volta comigo. Quem sabe aonde um maluco como este te levaria? Sê razoável e volta.

— Não! — disse Cristão. — Vem comigo, Inconstante. Todas as coisas sobre as quais falei e muito mais esperam por ti. Se não acreditas em mim, lê aqui neste livro. Tudo o que aqui está escrito é confirmado pelo sangue do próprio autor[13].

---

[11] Lucas 9:62: "E Jesus lhe disse: Ninguém, que lança mão do arado e olha para trás, é apto para o reino de Deus".

[12] Provérbios 26:16: "Mais sábio é o preguiçoso a seus próprios olhos do que sete homens que respondem bem".

[13] Hebreus 9: 17-22: "Porque um testamento tem força onde houve morte; ou terá ele algum valor enquanto o testador vive?".

— Bem, vizinho Obstinado — disse Inconstante —, tenho a intenção de acompanhar esse bom homem e tentar a sorte com ele. Mas, meu companheiro, conheces o caminho para esse lugar?

— Fui informado por um homem, cujo nome é Evangelista, para ir até uma porta estreita que está ali adiante, onde devemos receber instruções sobre o caminho — respondeu Cristão.

— Vem, então, bom vizinho, sigamos nosso caminho — disse Inconstante, e os dois puseram-se a andar.

— E eu voltarei para o meu lugar — falou Obstinado. — Não acompanharei pessoas tão perdidas e iludidas.

Assim, em meu sonho, vi Obstinado voltando, e Cristão e Inconstante conversando enquanto caminhavam através da planície. Assim falavam:

— Vem, vizinho Inconstante! Estou feliz por vires comigo. Se Obstinado conhecesse os poderes e os terrores invisíveis que conheci, não nos teria dado as costas.

— Vizinho Cristão, fala, então, sobre as coisas que estamos buscando e a que distância estão.

— Eu as concebo em minha mente, mas é difícil falar sobre elas. As coisas de Deus são indescritíveis. Entretanto, como desejas saber, lerei sobre elas no meu livro.

— E acreditas que as palavras do seu livro são mesmo verdadeiras?

— Sim! — assegurou Cristão. — Pois foi escrito por Aquele que não pode mentir[14].

— Boa resposta! E o que diz o livro?

— Que há um reino infinito a ser habitado, e fala sobre a vida eterna que nos será dada para que possamos morar nesse reino para sempre.

---

[14] Tito 1: 2: "Em esperança da vida eterna, a qual Deus, que não pode mentir, prometeu antes dos tempos dos séculos".

O Peregrino

— Isso me agrada. E o que mais?

— Que seremos coroados e glorificados e que usaremos roupas que nos farão brilhar como o sol no firmamento[15].

— Isso é muito aprazível! E o que mais?

— Não haverá mais choro, nem dor — prosseguiu Cristão —, porque o Senhor desse lugar secará todas as lágrimas dos nossos olhos[16].

— E quem serão nossos vizinhos?

— Lá viveremos entre serafins e querubins[17], criaturas cuja luz ofuscará nossos olhos. Seremos recebidos pelas dezenas de milhares de pessoas que chegaram ao lugar antes de nós. Nenhuma dessas pessoas é má; todas são amorosas e religiosas. Todos caminham à vista de Deus e permanecem em sua presença, eternamente

---

[15] *Isaías 45:17*: "Porém Israel é salvo pelo Senhor, com uma eterna salvação; por isso não sereis envergonhados nem confundidos em toda a eternidade"; *João 10:28-29*: "E dou-lhes a vida eterna, e nunca hão de perecer, e ninguém as arrebatará da minha mão. Meu Pai, que mais deu, é maior do que todos; e ninguém pode arrebatá-las da mão de meu Pai".
² *Timóteo 4:8*: "Desde agora, a coroa da justiça me está guardada, a qual o Senhor, justo juiz, me dará naquele dia; e não somente a mim, mas também a todos os que amarem a sua vinda"; *Apocalipse 3:4*: "Mas também tens em Sardes algumas poucas pessoas que não contaminaram suas vestes, e comigo andarão de branco; porquanto são dignas disso"; *Mateus 13:43*: "Então os justos resplandecerão como o sol, no reino de seu Pai. Quem tem ouvidos para ouvir, ouça."

[16] *Isaías 25:6-8* "E o Senhor dos Exércitos dará neste monte a todos os povos uma festa com animais gordos, uma festa de vinhos velhos, com tutanos gordos, e com vinhos velhos, bem purificados.
E destruirá neste monte a face da cobertura, com que todos os povos andam cobertos, e o véu com que todas as nações se cobrem. Aniquilará a morte para sempre, e assim enxugará o Senhor Deus as lágrimas de todos os rostos, e tirará o opróbrio do seu povo de toda a terra; porque o Senhor o disse.; *Apocalipse 7:17*: "Porque o Cordeiro que está no meio do trono os apascentará, e lhes servirá de guia para as fontes vivas das águas; e Deus limpará de seus olhos toda a lágrima"; *Apocalipse 21:4*: " E Deus limpará de seus olhos toda lágrima; e não haverá mais morte, nem pranto, nem clamor, nem dor; porque já as primeiras coisas são passadas."

[17] Arcanjos são uma ordem angélica composta por Gabriel, o arauto da Anunciação, Miguel, o guardião dos justos, e Rafael, protetor das crianças, dos peregrinos e viajantes; outro arcanjo bíblico é Uriel. Os serafins são a mais elevada das nove ordens angélicas da tradição judaico-cristã. Simbolizam o fogo purificador do espírito. Isaías os descreveu como tendo seis asas. Ficam sobre o trono de Deus cantando louvores.

acolhidos[18]. Em uma palavra, veremos os anciãos com suas coroas de ouro,[19] e veremos as virgens santas com suas harpas douradas[20]. Lá também veremos homens que, ao passarem pelo mundo, tiveram seus membros decepados, foram consumidos pelas chamas, devorados por animais nos circos de antigamente, afogados nos mares; e tudo isso pelo amor que dedicam ao Senhor desse lugar. E todas essas pessoas estão bem, trajando a imortalidade como se fosse uma vestimenta[21].

— O que dizes arrebata meu coração. Mas essas coisas podem ser obtidas? O que devemos fazer para conquistá-las? — inquiriu Inconstante.

— O Senhor desse país registrou neste livro o que devemos fazer. A todos os que estiverem dispostos a obter essas coisas Ele as concederá gratuitamente — respondeu Cristão.

---

[18] 1 Tessalonicenses, 4:16-17: "Porque o mesmo Senhor descerá do céu com alarido, e com voz de arcanjo, e com a trombeta de Deus; e os que morreram em Cristo ressuscitarão primeiro. Depois nós, os que ficarmos vivos, seremos arrebatados juntamente com eles nas nuvens, a encontrar o Senhor nos ares, e assim estaremos sempre com o Senhor"; Apocalipse 5:11: "E olhei, e ouvi a voz de muitos anjos ao redor do trono, e dos animais, e dos anciãos; e era o número deles milhões de milhões, e milhares de milhares".

[19] Apocalipse 4:4: "E ao redor do trono havia vinte e quatro tronos; e vi assentados sobre os tronos vinte e quatro anciãos vestidos de vestes brancas; e tinham sobre suas cabeças coroas de ouro".

[20] Apocalipse 14:1-5: "E olhei, e eis que estava o Cordeiro sobre o Monte Sião, e com ele cento e quarenta e quatro mil, que em suas testas tinham escrito o nome de seu Pai. E ouvi uma voz do céu, como a voz de muitas águas, e como a voz de um grande trovão; e ouvi uma voz de harpistas, que tocavam com as suas harpas. E cantavam um cântico novo diante do trono, e diante dos quatro animais e dos anciãos; e ninguém podia aprender aquele cântico, senão os cento e quarenta e quatro mil que foram comprados da terra. Estes são os que não estão contaminados com mulheres; porque são virgens. Estes são os que seguem o Cordeiro para onde quer que vá. Estes são os que dentre os homens foram comprados como primícias para Deus e para o Cordeiro. E na sua boca não se achou engano; porque são irrepreensíveis diante do trono de Deus".

[21] João 12:25: "Quem ama a sua vida perdê-la-á, e quem neste mundo odeia a sua vida guardá-la-á para a vida eterna"; 2 Coríntios 5:4: "Porque também nós, os que estamos neste tabernáculo, gememos carregados; não porque queremos ser despidos, mas revestidos, para que o mortal seja absorvido pela vida".

O Peregrino

— Meu bom companheiro, fico feliz ao ouvir isso. Vamos! Apressemos o passo!

— Não posso ir tão rápido — disse Cristão —, por causa deste fardo nas minhas costas.

Vi, em meu sonho, que, enquanto falavam, aproximaram-se de um lamaçal, que estava no meio da planície. Os dois viajantes, como estavam desatentos, caíram de repente no pântano — um pântano chamado Desespero. Revirando-se para tentar sair, ficaram terrivelmente imundos. Ali, portanto, eles se revolveram por um tempo, ficando completamente cobertos de imundície. Por causa do peso em suas costas, Cristão começou a afundar na lama.

— Ah, vizinho Cristão! — gritou Inconstante. — Onde estamos agora?

— Sinceramente, não sei! — admitiu Cristão.

Inconstante irritou-se com a resposta, e cheio de raiva, dirigiu-se ao companheiro:

— É essa a felicidade sobre a qual me falaste todo esse tempo? Se temos tanta dificuldade já em nossa partida, o que poderemos esperar ao longo da jornada? Que eu possa voltar com vida. Por mim, podes buscar esse país admirável sozinho.

Tendo dito isso, Inconstante fez um esforço admirável e conseguiu sair do lamaçal, na margem voltada para a direção onde estava sua casa. Então, pôs-se a caminhar, até que Cristão o perdeu de vista. Sozinho no Pântano do Desespero, Cristão empreendeu um tremendo esforço e conseguiu atravessar o lodaçal em direção à porta estreita a que deveria chegar. Contudo, ao chegar à margem do pântano, não conseguiu sair da lama, por causa do fardo que havia em suas costas. Nesse momento, vi um homem, cujo nome era Auxílio, caminhando em direção a Cristão. Aproximando-se, perguntou o que havia acontecido.

— Senhor — respondeu Cristão —, fui informado por um homem chamado Evangelista que este é o caminho para a porta que me permitirá fugir da ira futura. E, na pressa de escapar, caí aqui.

— Mas por que não vigiaste teus passos?

— O medo me seguia tão de perto, que eu fugi pelo primeiro caminho que encontrei e fiquei atolado.

— Dá-me tua mão — ofereceu o recém-chegado.

Cristão estendeu o braço, e Auxílio o puxou para fora, colocando-o em terreno seco. Daí, mostrou o caminho ao viajante[22]. Antes de continuar, Cristão perguntou:

— Senhor, se este pântano está no caminho entre a Cidade da Destruição e a porta estreita que estou buscando, porque não o arrumam, de modo que os pobres viajantes possam passar com mais segurança?

— Este pântano lamacento não pode ser reparado — redarguiu Auxílio. — É o local onde é despejada toda a escória e a imundície dos pecadores. Por isso chama-se Pântano do Desespero. Quando o pecador desperta de sua condição perdida, em sua alma emergem muitos medos, dúvidas e apreensões desencorajadoras, que se juntam e desaguam aqui. É por isso que este terreno é corrompido. É um desgosto para o Rei que este lugar permaneça em condições tão ruins[23]. Seus operários, orientados pelos topógrafos de Sua Majestade, têm trabalhado por mais de mil e seiscentos anos[24] sem poder arrumar este trecho. Foi despejada aqui a carga de pelo menos vinte mil carroças, sim, milhões de instruções que, ao longo dos anos, foram para cá trazidas de todos os lugares do domínio do Rei, e são o melhor material para consertar o solo deste lugar. Mesmo assim, isto não foi realizado. Aqui ainda é o

---

[22] Salmos 40:2: "Tirou-me dum lago horrível, dum charco de lodo, pôs os meus pés sobre uma rocha, firmou os meus passos".

[23] Isaías 35:3-4: "Fortalecei as mãos fracas, e firmai os joelhos trementes. Dizei aos turbados de coração: Sede fortes, não temais; eis que o vosso Deus virá com vingança, com recompensa de Deus; ele virá, e vos salvará".

[24] Na época em que foi escrito O Peregrino, os operários e topógrafos seriam os missionários e evangelistas cristãos.

Pântano do Desespero, e assim continuará a ser, apesar de todos os esforços. É verdade que, por ordem do Legislador, foram colocadas grandes pedras no meio do lamaçal. Contudo, elas estão submersas na imundície e são difíceis de se ver. Mesmo quando são vistas, os homens, com sua mente desorientada, passam ao largo, perdendo-as, apesar de as pedras continuarem lá. Mas, depois de cruzar a porta estreita, o terreno é sempre bom[25].

Então, vi em meu sonho que Inconstante havia chegado de volta à sua casa, e seus vizinhos foram visitá-lo. Alguns o elogiaram, dizendo que havia sido sábio ao retornar; outros o censuraram, afirmando que havia sido um tolo ao seguir Cristão; outros, ainda, zombaram dele, chamando-o de covarde.

— Eu não teria sido tão covarde a ponto de desistir diante da primeira dificuldade — disse um deles.

Inconstante permaneceu em silêncio. Mas, eventualmente, a conversa se voltou para Cristão, e todos começaram a falar mal dele pelas costas — inclusive Inconstante.

Enquanto isso, Cristão caminhava solitário pela planície. Na distância, avistou um homem que caminhava em sua direção. Seus caminhos se cruzaram, e o homem disse que se chamava Sábio Mundano e vivia na Cidade Carnal, uma cidade muito grande perto do local onde Cristão morava. Esse homem conhecia um pouco a história de Cristão, pois sua partida da Cidade da Destruição fora muito comentada não só onde morava, mas também em outros lugares. Assim, Sábio Mundano, tendo ouvido falar da árdua jornada empreendida por Cristão e observado seus suspiros e gemidos, abordou-o.

— Olá, meu bom homem — saudou-o. — Para onde vai, encurvado assim?

---

[25] 1 Samuel 12:23: "E quanto a mim, longe de mim que eu peque contra o Senhor, deixando de orar por vós; antes vos ensinarei o caminho bom e direito".

— Encurvado de fato, pois carrego enorme fardo! E sobre para onde vou, estou indo em direção à porta estreita que fica lá adiante, onde me disseram que poderei me livrar desta carga.

— Tens esposa e filhos?

— Sim, mas estou tão sobrecarregado com este fardo que não sinto prazer nessa relação como antes. É como se não os tivesse[26].

— Ouvirias um conselho, se eu lho desse?

— Se for bom, sim, pois estou precisando de bons conselhos.

— Recomendo, então, que te livres desse fardo com toda pressa, porque até lá não terás paz, nem poderás aproveitar as bênçãos que Deus concede — disse o Sábio Mundano.

— É isso mesmo que procuro: livrar-me deste pesado fardo. Mas não consigo tirá-lo sozinho, nem há nenhum homem em nosso país que possa retirá-lo de meus ombros. Por isso, sigo este caminho, para, como disse, poder me livrar deste fardo.

— E quem disse que deves ir por este caminho para tirar esse peso de tuas costas?

— Um homem que me pareceu ser uma pessoa muito importante e honrada. Seu nome, bem me lembro, é Evangelista — respondeu Cristão.

— Amaldiçoo esse homem por seu conselho! Não há caminho mais perigoso e acidentado em todo o mundo do que este que ele lhe disse para seguir. Se ouvir seu conselho, encontrará apenas tormentos e dificuldades. Já encontraste uma delas, posso perceber, pois vejo que a sujeira do Pântano do Desespero ainda cobre teu corpo. Mas esse lamaçal é apenas o começo das provações que aguardam os que seguem por esta senda. Ouve, sou mais velho e experiente que ti. Se continuares por onde vais, encontrarás fadiga, dor, fome, perigos, a nudez, a espada, leões, dragões, trevas e, em

---

[26] 1 Coríntios 7:29: "Isto, porém, vos digo, irmãos, que o tempo se abrevia; o que resta é que também os que têm mulheres sejam como se não as tivessem".

O Peregrino

uma palavra, a morte! Essas coisas certamente são verdadeiras, confirmadas por muitos testemunhos. E por que razão te afastaste tão descuidadamente de tua casa, dando atenção a um estranho?

— Porque este fardo nas minhas costas é mais terrível para mim do que todas essas coisas que mencionaste — replicou Cristão. — Não me importo com o que encontrarei pelo caminho, pois também posso achar um modo de me libertar do meu fardo.

— E como esse peso foi parar nas tuas costas?

— Conscientizei-me dele ao ler o livro que trago nas mãos.

— Achei que fosse por isso mesmo. Isso aconteceu contigo e com homens débeis, que, ao se meterem com coisas muito elevadas para eles, de repente, ficam desorientados. São distrações que não só perturbam as pessoas, como aconteceu contigo, mas que também as fazem empreender aventuras desesperadas em busca de algo que não sabem o que é.

— Eu sei o que busco — replicou Cristão. — Livrar-me do meu pesado fardo.

— Mas por que achas que precisas enfrentar tantos perigos para conseguir o que queres? Se tiveres paciência para me ouvir, eu poderia te dizer como obter o que desejas sem precisar enfrentar os perigos que encontrarás neste caminho. Sim, e o remédio está à mão! Além disso, do meu modo, em vez de perigos, encontrarás muita segurança, amizade e satisfação.

— Pois peço que me reveles esse segredo! — pediu Cristão.

— Na próxima aldeia, que se chama Moralidade, vive um homem cujo nome é Legalidade, um homem muito criterioso e de ótima reputação, que pode ajudar aqueles que carregam fardos como esse que tens sobre os ombros. Pelo que sei, ele fez muito por essas pessoas. Além disso, consegue curar os que ficaram meio enlouquecidos pelo esforço de carregar seu fardo. É a ele que deves procurar para obter ajuda. Sua casa fica a menos de dois quilômetros daqui, e se ele não estiver em casa, seu jovem filho, cujo nome é Civilidade, poderá ajudá-lo tanto quanto o pai. Lá poderás livrar-te desse peso. E se não quiseres voltar para a tua antiga casa, podes mandar buscar sua esposa e seus filhos para viverem nessa aldeia contigo, onde há algumas casas vazias, numa das quais podem viver por um preço razoável. O custo de vida também é baixo, mas o que te fará mais feliz é, com certeza, que estarás cercado de vizinhos honestos, finos e com crédito.

Isso intrigou Cristão, e ele concluiu que se fosse verdade o que aquele homem havia dito, seria sábio seguir seu conselho. Assim, perguntou:

— Senhor, qual é o caminho que me leva à casa desse homem honesto?

— Vês aquela colina? — indicou Sábio Mundano.

— Sim, com clareza.

— Deves ir até essa colina, e a primeira casa pela qual passares é a dele.

Então, Cristão afastou-se de seu caminho para ir à casa do senhor Legalidade para pedir ajuda. No entanto, quando, com muita dificuldade, chegou à colina, viu que era tão íngreme que parecia prestes a despencar sobre a trilha; Cristão temeu prosseguir, e, por isso, deteve-se, sem saber o que fazer. Além disso, seu fardo parecia ainda mais pesado. Então, lampejos de fogo escaparam da colina, e Cristão achou que seria consumido pelas chamas[27]. Ele sentiu tanto pavor que começou a suar e a tremer[28].

---

[27] **Êxodo 19:16-18:** "E aconteceu que, ao terceiro dia, ao amanhecer, houve trovões e relâmpagos sobre o monte, e uma espessa nuvem, e um sonido de buzina mui forte, de maneira que estremeceu todo o povo que estava no arraial. E Moisés levou o povo fora do arraial ao encontro de Deus; e puseram-se ao pé do monte. E todo o monte Sinai fumegava, porque o Senhor descera sobre ele em fogo; e a sua fumaça subiu como fumaça de uma fornalha, e todo o monte tremia grandemente".

[28] **Hebreus 12:21:** "E tão terrível era a visão, que Moisés disse: Estou todo assombrado, e tremendo".

Quando Cristão dá ouvidos ao Homem Carnal,
Desvia-se do caminho e termina por se dar mal,
Pois o Sábio Mundano não pode mostrar senão
A senda da sujeição e da aflição

Cristão começou a se arrepender de ter seguido o conselho do Sábio Mundano. Nesse estado de coisas, viu Evangelista indo ao seu encontro. Ao reconhecer seu conselheiro, Cristão corou de vergonha. Evangelista achegou-se a ele, e, contemplando-o com um semblante severo e terrível, perguntou:

— O que fazes aqui, Cristão?

Cristão não soube responder e quedou-se sem palavras diante de Evangelista.

— Tu não és o homem que eu encontrei chorando diante dos muros da Cidade da Destruição? — indagou Evangelista.

— Sim, senhor, eu sou esse homem.

— E eu não te mostrei o caminho para a porta?

— Sim, senhor — balbuciou Cristão.

— Então, por que desviaste do caminho tão rapidamente? Pois estás longe da trilha que te mostrei.

— Encontrei um senhor distinto logo que consegui sair do Pântano do Desespero; ele me persuadiu de que, na cidade vizinha, eu encontraria um homem capaz de tirar o fardo das minhas costas.

— Quem era ele? — quis saber Evangelista.

— Parecia um homem educado e conversou muito comigo, até que acabou me convencendo. Por isso, vim até aqui, mas vi essa colina tão íngreme que parece prestes a desabar sobre o caminho e me detive, temendo que ela caísse sobre minha cabeça.

— O que esse homem educado te disse?

— Perguntou para onde eu ia, e lhe contei.

— E então, o que ele perguntou?

— Quis saber se eu tinha família, e respondi, afirmando também que este fardo me pesa tanto que não tenho mais prazer na companhia deles como tinha antes.

— E o que ele disse depois? — indagou Evangelista.

— Disse que eu deveria retirar este fardo de minhas costas o mais rapidamente possível, e respondi que era o que eu buscava. Por isso estava indo em direção à porta estreita, para receber informações sobre como chegar ao local onde ficaria livre do meu fardo. Ele me falou, então, que conhecia um caminho melhor, mais curto e sem as dificuldades encontradas no caminho que me mostraste, senhor. Por ele, eu deveria chegar à casa de um homem capaz de retirar o peso que me oprime. Mas, ao aqui chegar e ver a colina, parei, conforme contei, por temer os perigos do caminho. Agora, não sei o que fazer.

— Então, continua parado mais um pouco, para que eu possa te mostrar as palavras de Deus — disse Evangelista.

Trêmulo, Cristão ouviu Evangelista citar:

— "Vede que não rejeiteis ao que fala; porque, se não escaparam aqueles quando rejeitaram o que sobre a terra os advertia, muito menos escaparemos nós, se nos desviarmos daquele que nos adverte lá dos céus"[29].

E também:

— "Mas o justo viverá da fé; e, se ele recuar, a minha alma não tem prazer nele"[30].

— Tu mesmo estás indo na direção desse sofrimento — prosseguiu Evangelista. — Recusaste o conselho do Elevadíssimo e desviaste do caminho da paz para tua quase perdição.

Aos prantos, Cristão caiu ao pés de Evangelista.

— Ai de mim, pois estou perdido!

Ao ver essa cena, Evangelista pegou-o pela mão direita e disse:

— "Todo pecado e blasfêmia se perdoará aos homens"[31], e "não sejas incrédulo, mas crente"[32].

---

[29] Hebreus 12:25.

[30] Hebreus 10:38.

[31] Mateus 12:31: Portanto, eu vos digo: Todo o pecado e blasfêmia se perdoará aos homens; mas a blasfêmia contra o Espírito não será perdoada aos homens; Marcos 3:28: "Em verdade vos digo: Todos os pecados serão perdoados aos filhos dos homens, bem como todas as blasfêmias que proferirem".

[32] João 20:27: Depois disse a Tomé: Põe aqui o teu dedo, e vê as minhas mãos; e chega a tua mão, e põe-na no meu lado; e não sejas incrédulo, mas crente.

Cristão animou-se um pouco, e ainda trêmulo, ergueu-se diante de Evangelista, que assim prosseguiu:

— De agora em diante, presta mais atenção ao que eu te disser. Vou contar quem te iludiu e a quem te enviou. O homem que encontraste é um sábio de acordo com o mundo, como bem diz seu nome. Ele é assim chamado porque, em parte, valoriza apenas a doutrina deste mundo[33] (é por isso que sempre vai à igreja na cidade da Moralidade), e, em parte, porque ama tal doutrina acima de tudo, pois o poupa da cruz. E como sua índole é carnal, ele busca perverter meus caminhos, embora corretos.

— Há três coisas no conselho desse homem que deves abominar completamente — continuou Evangelista. — Primeiro, ele te desviou de teu caminho. Segundo, ele procurou tornar a cruz odiosa para ti. E, finalmente, mandou-te seguir um caminho que te levaria à morte. Assim, é preciso, antes de mais nada, repudiar sua tentativa de desviar-te de tua senda e também o fato de haveres consentido, pois isso é o mesmo que rejeitar o conselho de Deus em favor do conselho de um Sábio Mundano. Diz o Senhor: "Porfiai por entrar pela porta estreita"[34], a porta para a qual eu te enviei, porque "estreita é a porta que leva à vida, e poucos há que a encontrem"[35]. Foi dessa porta estreita e do caminho que a ela conduz que esse homem ímpio te desviou, levando-te quase à tua destruição. Por isso, abomina essa tentativa de tirar-te do caminho e execra a ti mesmo por haveres ouvido esse homem.

— Em segundo lugar — retomou Evangelista —, deves detestar sua tentativa de tornar a cruz odiosa para ti, pois ela é preferível

---

[33] 1 João 4:5: "Do mundo são, por isso falam do mundo, e o mundo os ouve".

[34] Lucas 13:24: "Porfiai por entrar pela porta estreita; porque eu vos digo que muitos procurarão entrar, e não poderão."

[35] Mateus 7:14: "E porque estreita é a porta, e apertado o caminho que leva à vida, e poucos há que a encontrem".

"aos tesouros do Egito"[36]. Além disso, o Rei da Glória já te disse que "quem quiser salvar a sua vida, a perderá"[37], e que "se alguém vier a mim e não aborrecer a seu pai, e mãe, e mulher, e filhos, e irmãos, e irmãs e ainda a própria vida, não poderá ser meu discípulo".[38] O que estou dizendo é que se um homem se esforça por convencer-te de que isso será a tua morte, deves repudiar essa doutrina, pois sem a VERDADE não conquistarás a vida eterna.

— Em terceiro lugar — prosseguiu Evangelista —, precisas execrar o fato de esse homem haver te colocado no caminho que leva à morte. Para tanto, deves considerar a pessoa para quem ele te enviou, e também o fato de que ela é incapaz de livrar-te de teu fardo.

— Aquele com quem ele te aconselhou buscar ajuda, cujo nome é Legalidade, é filho da escrava acorrentada junto a seus filhos[39]. E é envolto em mistério este monte Sinai, que temeste que caísse sobre a tua cabeça. Ora, se ela e seus filhos estão acorrentados, como podes esperar que eles te libertem?

— Deste modo, esse Legalidade não é capaz de libertar-te de teu fardo — concluiu Evangelista. — Ele jamais livrou qualquer homem de seu peso, e provavelmente jamais o fará. Ninguém pode ser justificado pelas obras da lei, pois pelos atos da lei nenhum vivente pode se livrar de seu fardo. Portanto, o senhor Sábio

---

[36] **Hebreus 11:26**: "Tendo por maiores riquezas o vitupério de Cristo do que os tesouros do Egito; porque tinha em vista a recompensa".

[37] **Marcos 8:35**: "Pois quem quiser salvar a sua vida, perdê-la-á; mas quem perder a sua vida por amor de mim e do evangelho, salvá-la-á".

[38] **Lucas 14:26**

[39] **Gálatas 4:21-27**: "Dizei-me, os que quereis estar debaixo da lei, não ouvis vós a lei? Porque está escrito que Abraão teve dois filhos, um da escrava, e outro da livre. Todavia, o que era da escrava nasceu segundo a carne, mas, o que era da livre, por promessa. O que se entende por alegoria; porque estas são as duas alianças; uma, do monte Sinai, gerando filhos para a servidão, que é Agar. Ora, esta Agar é Sinai, um monte da Arábia, que corresponde à Jerusalém que agora existe, pois é escrava com seus filhos. Mas a Jerusalém que é de cima é livre; a qual é mãe de todos nós. Porque está escrito: Alegra-te, estéril, que não dás à luz; Esforça-te e clama, tu que não estás de parto; Porque os filhos da solitária são mais do que os da que tem marido".

Mundano é alguém alheio à tua busca, e o senhor Legalidade, um impostor; e quanto a seu filho Civilidade, apesar de sua aparência sorridente, não passa de um hipócrita incapaz de ajudar-te. Acredita-me: nada há, em toda essa balbúrdia que ouviste desses homens ébrios, a não ser o intento de afastar-te de tua salvação, desviando-te do caminho que te mostrei.

Depois de assim falar, Evangelista invocou os céus, em voz alta, para confirmar o que dissera. Então, palavras e fogo saíram da montanha sob a qual se achava o pobre Cristão, aterrorizado diante do que via e ouvia. As palavras que saíram da montanha foram: "Todos aqueles, pois, que são das obras da lei, estão debaixo da maldição; porque escrito está: Maldito todo aquele que não permanecer em todas as coisas que estão escritas no livro da Lei para fazê-las"[40].

Diante disso, Cristão não esperou nada além da morte e irrompeu num choro cheio de lamentação, amaldiçoando o momento em que encontrara o Sábio Mundano e considerando-se mais estúpido que mil tolos por ter seguido seu conselho. Também estava muito envergonhado, conscientizando-se de que os argumentos daquele homem distinto, que apelavam para a carne, haviam prevalecido sobre ele e o levaram a abandonar o caminho correto. Então, dirigiu-se novamente a Evangelista:

— O que acha, senhor? Há esperança? Posso retornar e prosseguir até a porta estreita? Não serei abandonado por isso, ou enviado de volta humilhado? Lamento muito ter ouvido os conselhos desse homem, mas acaso meu pecado pode ser perdoado?

— Teu pecado é muito sério — respondeu Evangelista —, pois praticaste dois males: abandonaste o bom caminho para trilhar sendas proibidas. Mesmo assim, o homem que abre a porta te

---

[40] Gálatas 3:10: "Todos aqueles, pois, que são das obras da lei estão debaixo da maldição; porque está escrito: Maldito todo aquele que não permanecer em todas as coisas que estão escritas no livro da lei, para fazê-las".

receberá, pois tem boa vontade para com os homens. Mas cuidado para não te desviares novamente, para "não perecer no caminho quando em breve se inflamar sua ira"[41].

Então, Cristão afirmou que retomaria o caminho, e Evangelista, após beijá-lo, sorriu e lhe desejou sucesso. E Cristão partiu com pressa. Não falou com homem algum pelo caminho, e se alguém o interpelava, tampouco respondia. Ia como alguém que trilha solo proibido e não se sentiu seguro até retomar o caminho que deixara para seguir o conselho do Sábio Mundano. Desse modo, Cristão chegou à porta estreita. Sobre ela, lia-se: "Batei, e abrir-se-vos-á"[42].

Cristão bateu à porta algumas vezes, dizendo:

> "Aquele que aqui quer entrar
> Deve à porta chamar, sem recear,
> Pois o acesso a quem chama será logrado
> Pois Deus o ama e perdoa seu pecado"

Por fim, apareceu à porta um homem de aspecto grave, chamado Boa Vontade, perguntando quem lá estava, de onde provinha e o que pretendia.

— Eis aqui um pobre pecador sobrecarregado com pesado fardo — respondeu Cristão. — Venho da Cidade da Destruição, mas estou indo para o Monte Sião[43], para fugir da ira futura. Como fui informado de que o caminho até lá passa por esta porta, gostaria de saber se o senhor me deixaria entrar.

— Com todo meu coração, deixo-te passar — disse Boa Vontade, e abriu a porta estreita.

---

[41] **Salmos 2:12**: "Beijai o Filho, para que se não ire, e pereçais no caminho, quando em breve se acender a sua ira; bem-aventurados todos aqueles que nele confiam!".

[42] **Mateus 7:7**: "Pedi, e dar-se-vos-á; buscai, e encontrareis; batei, e abrir-se-vos-á".

[43] Originalmente, o nome da fortaleza jebusita próxima da atual Jerusalém, que foi conquistada por Davi; também é sinônimo de Jerusalém.

Aquele que aqui quer entrar
Deve à porta chamar, sem recear,
Pois o acesso a quem chama será logrado
Pois Deus o ama e perdoa seu pecado

O Peregrino

Então, enquanto Cristão entrava, o homem o puxou com força.

— Por que isso? — perguntou Cristão, surpreso.

— A pouca distância daqui ergue-se um poderoso castelo, cujo capitão é Belzebu — respondeu o outro. — De lá, ele e seus companheiros lançam flechas naqueles que chegam até esta porta, para que assim morram antes de entrar.

— Alegro-me e tremo! — exclamou Cristão.

Ao passar pela porta, o homem perguntou quem o havia mandado para lá.

— Foi Evangelista que me mandou vir até aqui e bater, como fiz. E ele me disse, ainda, que o senhor me orientaria sobre o que devo fazer.

— Diante de ti, uma porta foi aberta, e nenhum homem a pode fechar[44].

— Começo agora a colher os benefícios pelos dois perigos que enfrentei.

— Mas por que vieste só? — quis saber Boa Vontade.

— Porque nenhum dos meus vizinhos viu, como eu, os males que os ameaçam.

— Algum deles sabia que virias?

— Sim — respondeu Cristão. — Minha mulher e meus filhos viram que eu partia e me chamaram, pedindo que voltasse. Também alguns dos meus vizinhos surgiram e gritaram repetidamente, chamando-me de volta. Mas tapei os ouvidos e segui meu caminho.

— Nenhum deles te seguiu para persuadir-te a voltar?

— Meus vizinhos Obstinado e Inconstante me seguiram. Quando, porém, viram que não conseguiam me convencer, Obstinado voltou protestando, mas Inconstante seguiu comigo por um trecho do caminho.

---

[44] *Apocalipse* 3:8: "Conheço as tuas obras; eis que diante de ti pus uma porta aberta, e ninguém a pode fechar; tendo pouca força, guardaste a minha palavra, e não negaste o meu nome".

— Mas por que ele não está aqui? — indagou Boa Vontade.

— Na verdade, vínhamos juntos, até chegarmos ao Pântano do Desespero, onde, de repente, caímos. Desencorajado, meu vizinho Inconstante não quis continuar. Desse modo, saindo do pântano na margem próxima da sua casa, disse que eu poderia aproveitar por ele essa terra admirável. Então, seguiu seu caminho, e eu tomei o meu. Ele, atrás de Obstinado, e eu, até esta porta.

— Pobre homem — exclamou Boa Vontade. — Acaso ele leva a glória celeste em tão pouca consideração que julgou não valer a pena enfrentar algumas dificuldades para alcançá-la?

— Sinceramente, se falei a verdade sobre Inconstante, também devo contar tudo sobre mim, pois aí se verá que não sou nem um pouco diferente dele — admitiu Cristão. — É verdade que ele voltou para casa, mas, do mesmo modo, desviei-me de minha senda e tomei o caminho da morte, porque dei ouvidos aos argumentos mundanos de certo senhor.

— Ah, então ele te interpelou? Pois sim! Certamente ele te aconselhou a buscar alívio pelas mãos do senhor Legalidade. Os dois são grandes trapaceiros. Mas aceitaste seu conselho?

— Aceitei, até onde terminou minha ousadia. Saí à procura do senhor Legalidade, mas, ao chegar perto da sua casa, achei que a montanha que ali se ergue fosse cair sobre minha cabeça. Por isso, fui forçado a parar.

— Essa montanha foi a causa da morte de muita gente, e ainda trará o fim para muitos mais. Que bom que escapaste sem ser esmagado por ela.

— Certamente! Na verdade, não sei o que teria acontecido comigo se, por sorte, Evangelista não houvesse me encontrado ali, enquanto eu pensava sobre minha sina. Mas foi por misericórdia divina que ele veio até mim de novo. Do contrário, eu jamais teria chegado até aqui. Todavia, cá estou, que mais merecia ter encontrado a morte naquela montanha do que estar aqui conversando

O PEREGRINO

com o senhor. Quanta graça me foi dada ao receber permissão para entrar!

— Não fazemos objeção a ninguém, não obstante tudo que tenham feito antes de chegarem aqui, pois de modo algum são lançados fora[45]. Sendo assim, meu bom Cristão, vem comigo que te ensinarei o caminho que deves trilhar — disse Boa Vontade. — Olha, diante de ti: estás vendo esse caminho estreito? Essa é a senda que deves tomar. Foi aberta pelos patriarcas, pelos profetas, por Cristo e seus apóstolos, e é reta como uma régua. Esse o caminho que deves seguir.

— Mas não há desvios nem volteios que levem a se perder aquele que não conhece o caminho?

— Há, sim, muitos caminhos que saem desse. São sinuosos e largos. Mas poderás distinguir o errado do certo, pois a trilha correta é reta e estreita[46].

Em meu sonho, vi Cristão lhe perguntar, ainda, se ele não poderia ajudá-lo a retirar o fardo que levava às costas, pois não havia conseguido se livrar dele, nem poderia de modo algum fazê-lo sem ajuda. Boa Vontade lhe disse:

— Quanto ao fardo, contenta-te em carregá-lo até chegar ao local da libertação, pois lá cairá de tuas costas por si só.

Assim, Cristão "cingiu os seus lombos"[47] e se preparou para a jornada. Boa Vontade lhe disse, ainda, que quando já estivesse a certa distância da porta, chegaria à casa de Intérprete, em cuja morada deveria bater, pois ele lhe mostraria coisas excelentes.

---

[45] **João 6:37:** "Todo o que o Pai me dá virá a mim; e o que vem a mim de maneira nenhuma o lançarei fora".

[46] **Mateus 7:13-14:** "Entrai pela porta estreita; porque larga é a porta, e espaçoso o caminho que conduz à perdição, e muitos são os que entram por ela; E porque estreita é a porta, e apertado o caminho que leva à vida, e poucos há que a encontrem".

[47] A expressão "cingir os lombos" aparece algumas vezes na Bíblia. Designa "amarrar o cinto da veste". Contudo, seu significado simbólico refere-se a preparar-se para um trabalho.

Destarte, Cristão despediu-se do amigo, que lhe desejou que Deus o fizesse andar rapidamente em sua senda.

† † †

Desse modo, Cristão prosseguiu até chegar à casa de Intérprete, em cuja porta bateu repetidas vezes. Por fim, alguém apareceu e perguntou quem era.

— Sou um viajante, senhor — identificou-se Cristão. — Um conhecido do bom dono desta casa enviou-me aqui para receber orientação. Peço, portanto, para falar com ele.

Então, o homem foi chamar o dono da casa, que logo depois foi receber Cristão, perguntando-lhe o que desejava.

— Senhor, venho da Cidade da Destruição e estou indo ao monte Sião — respondeu Cristão. — O homem que guarda a porta me disse, no início deste caminho, que se eu viesse até aqui, o senhor me revelaria coisas excelentes, que me seriam de grande proveito em minha jornada.

— Entre. Vou te mostrar algo que te será proveitoso — convidou Intérprete.

Mandou, então, seu servo acender a vela[48], e fez sinal para que Cristão o seguisse. Levando-o a um aposento, mandou o servo abrir a porta. O criado fez o que lhe foi dito, e Cristão viu na parede o quadro de um homem de aparência muito austera. Seus olhos erguiam-se aos céus; nas mãos, segurava o melhor dos livros; a lei da verdade estava escrita em seus lábios; o mundo estava às suas costas. Sua postura era de quem apelava aos homens, e sobre sua cabeça descansava uma coroa de ouro.

---

[48] A vela é um importante símbolo do ritual cristão; representa Cristo, a Igreja, o regozijo, a fé e o espírito. É uma imagem de iluminação espiritual em meio às trevas da ignorância.

O Peregrino

— O que isso significa? — indagou Cristão.

— O homem do retrato é um entre mil. Pode gerar filhos[49], porque sente as dores do parto[50], e ainda amamentá-los depois de nascerem. E se o vês de olhos erguidos aos céus, com o melhor dos livros nas mãos e a lei da verdade escrita nos lábios, é para mostrar-te que o seu trabalho é conhecer e revelar coisas funestas aos pecadores. Por isso também o gesto de apelar aos homens. O mundo às suas costas e a coroa sobre a sua cabeça mostram que menosprezando e desdenhando as coisas mundanas pelo amor que dedica ao seu Mestre, certamente, no próximo mundo será recompensado com a glória.

— Ora — prosseguiu Intérprete —, mostrei este quadro porque o homem do retrato é o único a quem o senhor do lugar a que te diriges autorizou que fosse teu guia em todos os locais difíceis que possas encontrar pelo caminho. Portanto, presta muita atenção ao que mostrei e tem em mente o que viste, caso encontres em tua senda alguém que finja te mostrar o rumo certo, quando, na verdade, estará indicando a trilha da morte.

Então, Intérprete o tomou pela mão e o levou a uma sala muito grande e empoeirada, pois nunca era varrida. Depois de examiná-la, Intérprete chamou um homem e mandou que a varresse. Quando ele começou a varrê-la, uma grande quantidade de pó se ergueu, fazendo Cristão quase sufocar. Intérprete dirigiu-se a uma jovem que ali estava:

— Traze água[51] e borrifa um pouco na sala.

---

[49] **1 Coríntios 4:15**: Porque ainda que tivésseis dez mil aios em Cristo, não teríeis, contudo, muitos pais; porque eu pelo evangelho vos gerei em Jesus Cristo.

[50] **Gálatas 4:19**: "Meus filhinhos, por quem de novo sinto as dores do parto, até que Cristo seja formado em vós".

[51] A água é um símbolo universal de pureza, fertilidade, a fonte da vida. O batismo cristão encerra em sua ritualística os aspectos de purificação, lavando os pecados, apagando a vida antiga e fazendo nascer uma nova existência em Cristo.

Feito isso, a sala pôde ser varrida e limpa para o prazer de todos.

— O que isto significa? — quis saber Cristão.

— Esta sala é o coração do homem que jamais foi santificado pela doce graça do Evangelho — explicou Intérprete. — A poeira é seu pecado original e suas perversões interiores que macularam todo o seu ser. Aquele que começou a varrer é a Lei, mas a que trouxe água e a borrifou é a Boa Nova, o Evangelho. Ora, tu mesmo viste que assim que o homem começou a varrer, a poeira se ergueu, impedindo a limpeza da sala e quase te sufocando. Isso foi para mostrar-te que a Lei, em vez de purificar (com sua ação) o coração, retirando dele o pecado, na verdade o revive, fortalece-o e o faz crescer na alma, ainda que seja descoberto e proibido, pois não dá força para que seja subjugado[52].

— Em seguida — prosseguiu Intérprete —, observaste a jovem borrifar água na sala, podendo, assim, limpá-la com facilidade. Isso é para demonstrar-te que quando o Evangelho entra no coração, trazendo com ele sua influência suave e inestimável, então, da mesma forma como viste a jovem fazer baixar a poeira ao borrifar água no chão, o pecado é conquistado e subjugado. A alma é purificada pela fé, tornando-se, consequentemente, apta para que o Rei da Glória a habite[53].

---

[52] **Romanos 7:6**: "Mas agora temos sido libertados da lei, tendo morrido para aquilo em que estávamos retidos; para que sirvamos em novidade de espírito, e não na velhice da letra"; **1 Coríntios 15:56**: "Ora, o aguilhão da morte é o pecado, e a força do pecado é a lei"; **Romanos 5:20**: "Veio, porém, a lei para que a ofensa abundasse; mas, onde o pecado abundou, superabundou a graça".

[53] **João 15:3**: "Vós já estais limpos, pela palavra que vos tenho falado"; **Efésios 5:26**: "Para a santificar, purificando-a com a lavagem da água, pela palavra"; **Atos 15:9**: "E não fez diferença alguma entre eles e nós, purificando os seus corações pela fé"; **Romanos 16:25-26**: "Ora, àquele que é poderoso para vos confirmar, segundo o meu evangelho e a pregação de Jesus Cristo, conforme a revelação do mistério que desde os tempos eternos, esteve oculto, mas que se manifestou agora, e se notificou pelas Escrituras dos profetas, segundo o mandamento do Deus eterno, a todas as nações para obediência da fé"; **João 15:13**: "Ninguém tem maior amor do que este, de dar alguém a sua vida pelos seus amigos".

O Peregrino

Vi, ainda, em meu sonho, que Intérprete tomou Cristão mais uma vez pela mão e o levou a um quartinho, onde havia duas criancinhas sentadas, cada qual em sua cadeira. O nome da mais velha era Paixão, e o da outra, Paciência. Paixão parecia muito insatisfeita, mas Paciência era muito calma. Então, Cristão perguntou:

— Qual a razão do descontentamento de Paixão?

— Seu tutor quer que ela espere pelas melhores coisas, que virão no início do ano que vem, mas Paixão as quer agora. Paciência, porém, concordou em esperar — respondeu Intérprete.

Vi, então, que alguém se aproximou de Paixão com um saco contendo um tesouro, que depositou a seus pés. Ela o pegou e se alegrou, rindo, zombeteira, de Paciência. Continuando a observar, vi que Paixão logo esbanjou tudo, ficando com nada além de farrapos.

Cristão pediu a Intérprete:

— Explique melhor o que observei.

— Essas duas crianças são simbólicas: a Paixão dos homens por este mundo, e a Paciência dos homens para aguardar o mundo que há de vir. Como viste, Paixão quer tudo agora, ainda este ano, isto é, neste mundo. Assim são os homens deste mundo: querem ter todas as boas coisas reservadas a eles imediatamente e não podem aguardar até o ano que vem, ou seja, até o mundo futuro, para receber o bem que lhes cabe. O provérbio "Mais vale um pássaro na mão que dois voando" tem para eles mais autoridade que todos os testemunhos divinos do bem do mundo que virá. Mas, como viste, Paixão esbanjou tudo rapidamente, e nada lhe restou senão farrapos. No fim deste mundo, isso acontecerá aos homens como ela.

— Agora vejo que Paciência é mais sábia, e isso por duas razões — disse Cristão. — Primeiro, porque espera pelas melhores coisas. E, segundo, porque terá a glória para si, enquanto à outra nada restará senão farrapos.

— Ainda podes acrescer outra razão: a glória do mundo futuro jamais se esgota, mas as desta terra vão-se subitamente — disse Intérprete. — Paixão, portanto, não tinha motivo para rir de Paciência apenas porque esta recebeu por último as boas coisas a ela reservadas, pois o primeiro precisa ceder lugar ao último, uma vez que também chegará a hora deste. Contudo, o último não cede o lugar a ninguém, pois não há quem o suceda. Aquele, portanto, que recebe primeiro o que lhe é reservado — prosseguiu Intérprete —, deve ter oportunidade de gastá-lo, mas aquele que receber seu quinhão por último, tê-lo-á para sempre. É por isso que se diz do rico: "Lembra-te de que recebeste os teus bens em tua vida, e Lázaro somente males; e agora, este é consolado, e tu, atormentado"[54].

— Percebo que é melhor não cobiçar as coisas mundanas, mas aguardar pelas que virão.

— Dizes a verdade: "As coisas que se veem são temporais, e as que se não veem são eternas"[55] — citou Intérprete. — Apesar disso, como as coisas deste mundo e nosso desejo carnal são vizinhos tão próximos um do outro, e como as coisas futuras e o sentido carnal são tão estranhos um para o outro, as primeiras são rapidamente atraídas pelo mundano, enquanto as segundas dele se distanciam.

Em meu sonho, vi que Intérprete tomava Cristão pela mão e o levava a um local onde uma fogueira ardia diante de uma parede. Uma pessoa permanecia ao lado do fogo, jogando sempre muita água na fogueira, tentando extingui-la. Mas, em vez disso, as chamas aumentavam, e o calor se intensificava.

— O que isto significa? — perguntou Cristão.

---

[54] **Lucas 16:25**: "Disse, porém, Abraão: Filho, lembra-te de que recebeste os teus bens em tua vida, e Lázaro somente males; e agora este é consolado e tu atormentado".

[55] **2 Coríntios 4:18**: "Não atentando nós nas coisas que se veem, mas nas que se não veem; porque as que se veem são temporais, e as que se não veem são eternas".

— O fogo é a obra da graça forjada no coração. Aquele que joga água na fogueira para apagá-la é o Diabo[56]. Apesar disso, como viste, o fogo aumenta e se torna mais quente. Mas vou te mostrar o motivo disso.

Tendo dito isso, Intérprete levou Cristão atrás da parede diante da qual ardia a fogueira. Lá, havia um homem com um vaso de óleo na mão, que despejava continuamente no fogo, mas em segredo.

— O que isto quer dizer? — quis saber Cristão.

— Este é Cristo — respondeu Intérprete —, que, incessantemente, mantém a obra iniciada em seu coração com o óleo da sua graça. Por meio dela, não obstante o que o Diabo possa fazer, a alma das pessoas que a ele seguem continua cheia de graça[57]. Mas viste também que há um homem atrás da parede para alimentar o fogo. Isso é para ensinar-te que é difícil para aquele que é tentado ver como a obra da graça é mantida na alma.

Vi também que Intérprete tomou-o de novo pela mão, levando-o até um local aprazível, onde se erguia um majestoso palácio, belo de se admirar. Cristão encantou-se com a visão. Ele também viu que, no terraço do palácio, caminhavam algumas pessoas vestidas de ouro.

— Podemos ir até lá? — pediu Cristão.

Intérprete o levou, então, até a porta do palácio, onde havia muitos homens, todos desejosos de entrar, mas sem poder. Também havia um homem sentado a uma mesa a pouca distância da porta; ele tinha um livro e um tinteiro diante de si, para anotar o nome daquele que poderia entrar. Cristão também viu muito homens

---

[56] O Diabo é o adversário de Deus e de toda a bondade; é a personificação da escuridão, da tentação e do mal. Satã é o anjo cujo orgulho (húbris) o fez cair e se tornar adversário de Deus. Seu nome antes da queda era Lúcifer.

[57] 2 Coríntios 12:9: "E disse-me: A minha graça te basta, porque o meu poder se aperfeiçoa na fraqueza. De boa vontade, pois, me gloriarei nas minhas fraquezas, para que em mim habite o poder de Cristo".

vestindo armaduras guardando a porta, determinados a ferir e a causar mal a qualquer um que tentasse entrar sem autorização. Cristão espantou-se. Por fim, quando as pessoas recuaram com medo dos guardas armados, Cristão notou um homem de constituição muito robusta aproximar-se do escriba e dizer-lhe:

— Escreve meu nome.

Isso feito, Cristão viu o homem desembainhar sua espada, cobrir a cabeça com um capacete e sair correndo, em seguida, em direção à porta, sendo atacado com disposição mortal pelos guardas armados. Mas o homem, sem se desencorajar, cortou e retalhou seus inimigos com mais fúria ainda. Assim, depois de receber e infligir muitos ferimentos naqueles que tentavam impedi-lo, conseguiu abrir caminho com sua espada[58] e entrar no palácio. Então, ele ouviu as vozes daqueles que lá estavam, inclusive dos que estavam caminhando no terraço, dizendo:

— Entra, entra! A glória que conquistaste a terás para sempre!

E ele entrou, sendo vestido com as mesmas vestes de ouro dos que lá estavam.

Cristão sorriu e disse:

— Creio que sei o significado disto. Ora, então, deixa-me ir até lá.

— Não — interrompeu Intérprete. — Espera até eu te mostrar um pouco mais. Depois disso, poderás seguir teu caminho.

Assim, uma vez mais, ele o pegou pela mão e o conduziu até um quarto muito escuro, onde havia um homem sentado dentro de uma jaula de ferro. Ele parecia muito triste: os olhos voltados para o chão, as mãos entrelaçadas, suspirando como se seu coração estivesse partido.

— O que isto significa? — perguntou Cristão.

---

[58] **Atos 14:22**: "Confirmando os ânimos dos discípulos, exortando-os a permanecer na fé, pois que por muitas tribulações nos importa entrar no reino de Deus".

O Peregrino

Intérprete mandou que conversasse com o homem.

— Quem és tu? — perguntou Cristão, dirigindo-se ao prisioneiro.

— Sou o que não fui — respondeu o homem.

— E o que foste? — insistiu Cristão.

— Fui um professor próspero e respeitado, tanto aos meus próprios olhos como aos dos outros. Achei que era justo a ponto de merecer a Cidade Celestial, e até mesmo me alegrei diante dos pensamentos de que ali chegaria[59].

— Sim, mas quem és tu agora? — indagou Cristão.

— Agora sou um desesperado, trancado nesta jaula de ferro sem poder sair. Oh, agora não posso mais sair.

— Mas por que estás agora nessa condição?

— Deixei de vigiar e de permanecer sóbrio. Afrouxei as rédeas das minhas volúpias. Pequei contra a Luz do Mundo[60] e a bondade de Deus. Entristeci o Espírito, e ele se foi. Seduzi o Diabo, e ele veio até a mim. Provoquei a ira de Deus, e Ele me abandonou. Meu coração está tão endurecido que não consigo me arrepender.

Cristão voltou-se a Intérprete e indagou:

— Mas não há esperança para um homem como este?

— Pergunta a ele — instruiu Intérprete.

— Não. Rogo que o senhor o faça — pediu Cristão.

Intérprete assentiu e dirigiu-se ao homem:

— Então, não há esperança? Deves ficar preso na jaula de ferro do desespero?

— Não, não há qualquer esperança.

— Mas por quê? — interpelou Intérprete. — O Filho do Abençoado é muito misericordioso.

---

[59] **Lucas 8:13:** "E os que estão sobre pedra, estes são os que, ouvindo a palavra, a recebem com alegria, mas, como não têm raiz, apenas creem por algum tempo, e no tempo da tentação se desviam".

[60] O Cristo (ver nota 8).

— Eu o crucifiquei novamente[61]. Desprezei sua pessoa[62]. Desprezei sua retidão. Considerei seu sangue algo profano. Ofendi o Espírito da graça[63]. Por isso, desisti de todas as promessas, e agora restam apenas ameaças, ameaças terríveis, ameaças medonhas de condenação certa e indignação ardente, que me consumirá como adversário.

— Em busca de quê tu te reduziste a esta condição? — perguntou Intérprete.

— Das luxúrias, dos prazeres e dos ganhos deste mundo, cujo usufruto me proporcionou grande deleite. Agora, porém, todos eles mordem-me e roem-me como um verme de fogo.

— Mas não podes arrepender-te e mudar? — disse Intérprete.

— Deus me negou o arrependimento. Sua Palavra não me encoraja a crer. Foi Ele mesmo que me trancou nesta jaula de ferro. Nem mesmo todos os homens do mundo poderiam me libertar. Oh, eternidade, eternidade! Como posso enfrentar o sofrimento que encontrarei na eternidade?

Intérprete dirigiu-se a Cristão e lhe disse:

— Que te lembres do sofrimento deste homem, e que seja um aviso perene.

— Isso é aterrador! — exclamou Cristão. — Deus me ajude a vigiar e a permanecer sóbrio, e rogo que eu possa evitar a causa do sofrimento deste homem! Mas, senhor, já não é hora de eu retomar meu caminho?

---

[61] **Hebreus 6:6:** "E recaíram, sejam outra vez renovados para arrependimento; pois assim, quanto a eles, de novo crucificam o Filho de Deus, e o expõem ao vitupério".

[62] **Lucas 19:14:** "Mas os seus concidadãos odiavam-no, e mandaram após ele embaixadores, dizendo: Não queremos que este reine sobre nós".

[63] **Hebreus 10:28-29:** "Havendo alguém rejeitado a lei de Moisés, morre sem misericórdia, pela palavra de duas ou três testemunhas; de quanto maior castigo cuidais vós será julgado merecedor aquele que pisar o Filho de Deus, e tiver por profano o sangue do pacto, com que foi santificado, e ultrajar ao Espírito da graça?".

O Peregrino

— Espera que eu te mostre uma última coisa, e então, poderás seguir tua senda.

De novo, ele tomou Cristão pela mão e o levou a uma câmara, onde um homem se erguia da cama. E enquanto vestia suas roupas, tremia e fremia.

— Porque esse homem está tremendo tanto? — inquiriu Cristão.

Intérprete pediu, então, que o homem respondesse a Cristão.

— Esta noite — começou ele —, enquanto eu dormia, vi em meus sonhos os céus ficarem muito sombrios. Os relâmpagos e trovões eram terríveis e me deixaram agoniado. Em meu sonho, vi as nuvens se estirarem de um modo incomum e ouvi o alto som de uma trombeta. Vi, a seguir, um homem sentado numa nuvem, servido por milhares de seres celestiais, todos envoltos em fogo chamejante. Ouvi, então, uma voz dizendo: "Erguei-vos, ó mortos, e Vindes para o julgamento". A esse comando, as pedras se partiram, as tumbas se abriram e os mortos de lá saíram. Alguns estavam muito felizes e olhavam para cima. Outros, porém, buscavam esconder-se sob as montanhas[64].

---

[64] **1 Coríntios 15:52**: "Num momento, num abrir e fechar de olhos, ante a última trombeta; porque a trombeta soará, e os mortos ressuscitarão incorruptíveis, e nós seremos transformados"; **1 Tessalonicenses 4:16**: "Porque o mesmo Senhor descerá do céu com alarido, e com voz de arcanjo, e com a trombeta de Deus; e os que morreram em Cristo ressuscitarão primeiro"; **Judas 1:14**: "E destes profetizou também Enoque, o sétimo depois de Adão, dizendo: Eis que é vindo o Senhor com milhares de seus santos"; **João 5:28-29**: "Não vos admireis disto; porque vem a hora em que todos os que estão nos sepulcros ouvirão a sua voz e sairão: os que tiverem feito o bem, para a ressurreição da vida, e os que tiverem praticado o mal, para a ressurreição do juízo"; **2 Tessalonicenses 1:7-8**: "E a vós, que sois atribulados, alívio juntamente conosco, quando do céu se manifestar o Senhor Jesus com os anjos do seu poder, em chama de fogo, e tomar vingança dos que não conhecem a Deus e dos que não obedecem ao evangelho de nosso Senhor Jesus Cristo"; **Apocalipse 20:11-14**: "E vi um grande trono branco e o que estava assentado sobre ele, de cuja presença fugiram a terra e o céu; e não foi achado lugar para eles. E vi os mortos, grandes e pequenos, em pé diante do trono; e abriram-se uns livros; e abriu-se outro livro, que é o da vida; e os mortos foram julgados pelas coisas que estavam escritas nos livros, segundo as suas obras. O mar entregou os mortos que nele havia; e a morte e o hades entregaram os mortos que neles havia; e foram julgados, cada um segundo as suas obras. E a morte e o hades

— Daí, vi o homem sentado na nuvem abrir o livro — prosseguiu ele —, e ordenar que todo mundo se aproximasse. Contudo, por conta das chamas que o envolviam, uma distância conveniente era mantida entre ele e a multidão, do mesmo modo como acontece entre o juiz e os prisioneiros no tribunal[65]. Também ouvi a proclamação aos que serviam o homem sentado na nuvem: "Ajuntem o joio, a palha e o restolho, e lancem tudo no lago de fogo"[66]. E imediatamente abriu-se o abismo sem fundo, bem abaixo de onde eu estava. Do abismo jorraram brasas em fogo e fumaça e sons hediondos. Às mesmas pessoas se disse: "Recolham o trigo no meu

---

foram lançados no lago de fogo. Esta é a segunda morte, o lago de fogo"; **Isaías 26:21**: "Porque eis que o Senhor sairá do seu lugar, para castigar os moradores da terra, por causa da sua iniquidade, e a terra descobrirá o seu sangue, e não encobrirá mais os seus mortos"; **Miqueias 7:16-17**: As nações o verão, e envergonhar-se-ão, por causa de todo o seu poder; porão a mão sobre a boca, e os seus ouvidos ficarão surdos. Lamberão o pó como serpentes, como répteis da terra, tremendo, sairão dos seus esconderijos; com pavor virão ao Senhor nosso Deus, e terão medo de ti; **Salmos 95:1-3**: "Vinde, cantemos alegremente ao Senhor, cantemos com júbilo à rocha da nossa salvação. Apresentemo-nos diante dele com ações de graças, e celebremo-lo com salmos de louvor. Porque o Senhor é Deus grande, e Rei grande acima de todos os deuses"; **Daniel 7:10**: "Um rio de fogo manava e saía de diante dele; milhares de milhares o serviam, e miríades de miríades assistiam diante dele. Assentou-se para o juízo, e os livros foram abertos".

[65] **Malaquias 3:2-3**: "Mas quem suportará o dia da sua vinda? E quem subsistirá, quando ele aparecer? Porque ele será como o fogo do ourives e como o sabão dos lavandeiros. E assentar-se-á como fundidor e purificador de prata; e purificará os filhos de Levi, e os refinará como ouro e como prata; então ao Senhor trarão oferta em justiça"; **Daniel 7:9-10**: "Eu continuei olhando, até que foram postos uns tronos, e um ancião de dias se assentou; a sua veste era branca como a neve, e o cabelo da sua cabeça como a pura lã; e seu trono era de chamas de fogo, e as suas rodas de fogo ardente. Um rio de fogo manava e saía de diante dele; milhares de milhares o serviam, e milhões de milhões assistiam diante dele; assentou-se o juízo, e abriram-se os livros".

[66] **Mateus 3:12**: "Em sua mão tem a pá, e limpará a sua eira, e recolherá no celeiro o seu trigo, e queimará a palha com fogo que nunca se apagará"; **Mateus 13:30**: "Deixai crescer ambos juntos até à ceifa; e, por ocasião da ceifa, direi aos ceifeiros: Colhei primeiro o joio, e atai-o em molhos para o queimar; mas, o trigo, ajuntai-o no meu celeiro"; **Malaquias 4:1**: "Porque eis que aquele dia vem ardendo como fornalha; todos os soberbos, e todos os que cometem impiedade serão como a palha; e o dia que está para vir os abrasará, diz o Senhor dos Exércitos, de sorte que lhes não deixará nem raiz nem ramo".

celeiro"[67]. E, com isso, vi muitos serem erguidos e levados às nuvens. Mas eu fui deixado para trás[68]. Fiquei. Também tentei me esconder, mas não pude, pois o homem sentado na nuvem me observava. Meus pecados também me vieram à mente, e minha consciência me acusava de todas as formas[69]. Depois disso, despertei.

— Mas o que foi que o deixou com tanto medo nessa visão? — perguntou Cristão.

— Ora, achei que o dia do julgamento havia chegado e que eu não estava preparado. Mas o que mais me aterrorizou foi o fato de os anjos terem escolhido muitos e me deixado para trás. Também o poço do inferno abriu sua boca exatamente onde eu me encontrava. Do mesmo modo, minha consciência me afligiu. Finalmente, o juiz me vigiava, demonstrando indignação em seu semblante.

Intérprete dirigiu-se, então, a Cristão.

— Refletiste sobre todas essas coisas?

— Sim, e elas me inspiraram esperança e medo.

— Bem, tem tudo isso em mente para que seja como um aguilhão em seu flanco, instigando-o adiante em seu caminho — aconselhou Intérprete.

Assim, Cristão começou a cingir seus lombos e a preparar-se para a jornada. Intérprete se despediu falando:

— Que o Consolador esteja sempre contigo, bom Cristão, para guiar-te no caminho que leva à Cidade.

---

[67] Lucas 3:17: "Ele tem a pá na sua mão; e limpará a sua eira, e ajuntará o trigo no seu celeiro, mas queimará a palha com fogo que nunca se apaga"; Mateus 3:12: (citado na nota 67).

[68] 1 Tessalonicenses 4:16-17: "Dizemo-vos, pois, isto, pela palavra do Senhor: que nós, os que ficarmos vivos para a vinda do Senhor, não precederemos os que dormem. Porque o mesmo Senhor descerá do céu com alarido, e com voz de arcanjo, e com a trombeta de Deus; e os que morreram em Cristo ressuscitarão primeiro".

[69] Romanos 3:14-15: "Cuja boca está cheia de maldição e amargura. Os seus pés são ligeiros para derramar sangue".

E, ao tomar o caminho, Cristão recitou:

> — Aqui vi coisas raras, que me deixaram boquiaberto,
> Coisas agradáveis, terríveis, coisas que me deixam certo
> Daquilo tudo que estou a empreender.
> Deixa-me refletir sobre elas e compreender
> Por qual propósito me foram mostradas e que dão
> Ao senhor, bom Intérprete, minha eterna gratidão.

Meu sonho prosseguiu, e nele vi que a estrada pela qual Cristão viajaria era acompanhada por um muro dos dois lados. O muro chamava-se Salvação[70]. Por esse caminho ascendente, seguiu o sobrecarregado Cristão, não sem dificuldade, por conta do fardo nas suas costas. E assim ele prosseguiu até chegar a um local elevado, sobre o qual havia uma cruz, e um pouco abaixo, um sepulcro. Vi em meu sonho que quando Cristão se aproximou da cruz, seu fardo soltou-se de seus ombros e tombou, rolando ladeira abaixo até chegar ao sepulcro, onde caiu, e eu não o vi mais. Cristão sentiu-se leve e feliz e disse, com o coração alegre:

—"Ele me trouxe descanso com sua dor e vida com sua morte".

Então, parou para observar e refletir, pois estava muito surpreso que a visão da cruz havia tirado o fardo de suas costas. Ele olhou e olhou, até que as fontes em seus olhos transbordaram em seu rosto[71]. E enquanto ele observava e chorava, viu três Seres Resplandecentes, que o saudaram dizendo:

---

[70] Isaías 26:1: "Naquele dia se entoará este cântico na terra de Judá: Temos uma cidade forte, a que Deus pôs a salvação por muros e antemuros".

[71] Zacarias 12:10: "Mas sobre a casa de Davi, e sobre os habitantes de Jerusalém, derramarei o Espírito de graça e de súplicas; e olharão para mim, a quem traspassaram; e pranteáarão sobre ele, como quem pranteia pelo filho unigênito; e chorarão amargamente por ele, como se chora amargamente pelo primogênito".

O Peregrino

— A paz esteja contigo. Teus pecados estão perdoados — falou o primeiro[72].

O segundo despiu-o de seus farrapos e o vestiu com roupas novas[73], e o terceiro fez uma marca em sua testa e lhe deu um pergaminho lacrado com um selo, instruindo Cristão a entregá-lo no Portão Celestial[74]. E com isso, os três partiram.

Tomado de alegria, Cristão deu três pulos e cantou:

— Até aqui cheguei sobrecarregado com meu pecado,
Ninguém podia abrandar a dor do que me era errado
Até aqui chegar. Que lugar sem idade!
É aqui que começa minha felicidade?
É aqui que o fardo das minhas costas se descarta?
Que aqui a corda que o prende a mim se parta!
Santa cruz! Santo Sepulcro! Seja abençoado
O Homem que por mim foi humilhado.

---

[72] **Marcos 2:5**: "E Jesus, vendo a fé deles, disse ao paralítico: Filho, perdoados estão os teus pecados".

[73] **Zacarias 3:4**: "Então respondeu, aos que estavam diante dele, dizendo: Tirai-lhe estas vestes sujas. E a Josué disse: Eis que tenho feito com que passe de ti a tua iniquidade, e te vestirei de vestes finas".

[74] **Efésios 1:13**: "Em quem também vós estais, depois que ouvistes a palavra da verdade, o evangelho da vossa salvação; e, tendo nele também crido, fostes selados com o Espírito Santo da promessa".

Quem é este? É o Peregrino. Sim, é verdade!
Tudo o que era antigo se foi; agora é novidade.
Estranho! Ele é outro homem, garanto.
É o belo hábito que faz o belo santo.

O Peregrino

Então, vi em meu sonho que Cristão prosseguiu até chegar aos pés de uma colina. Lá, ele notou três homens dormindo profundamente à beira do caminho. Tinham correntes presas a seus pés. Chamavam-se Simplório, Ócio e Presunção.

Ao ver esses peregrinos dormindo no chão, Cristão aproximou-se deles, esperando poder acordá-los. Assim, exortou-os:

— Sereis como alguém que dorme no meio do mar agitado ou deita-se sobre as cordas de um alto mastro[75], pois o mar Morto está sob vós e é um fosso sem fundo. Despertai, portanto, e ponde-vos em movimento; se quiserdes, também posso ajudar a livrar-vos de vossas correntes.

E lhes disse ainda:

— Se surgir aquele que ronda como um leão que ruge, vós certamente vos tornareis presas de suas garras[76].

Ao ouvirem essas palavras, os três apenas olharam para Cristão e responderam despreocupadamente:

— Não vejo perigo algum — respondeu Simplório com ingenuidade.

— Deixa-me dormir mais um pouco — murmurou Ócio.

— Toda pipa deve ficar sobre seu próprio fundo (sem precisar de ajuda). Preciso dizer mais? — afirmou orgulhosamente Presunção. E, com isso, voltaram a se deitar para dormir de novo, enquanto Cristão decidiu que era melhor continuar seu caminho.

Apesar disso, ficou perturbado ao pensar que aquelas pessoas, que certamente corriam perigo, recusaram a gentileza daquele que gratuitamente lhes oferecera auxílio, voluntariando-se para ajudá-las a remover as correntes presas nos seus pés.

---

[75] **Provérbios 23:34:** "E serás como o que se deita no meio do mar, e como o que jaz no topo do mastro".

[76] **1 Pedro 5:8:** "Sede sóbrios; vigiai; porque o diabo, vosso adversário, anda em derredor, bramando como leão, buscando a quem possa tragar".

Enquanto Cristão refletia sobre o desconcertante encontro, notou dois homens trôpegos aproximarem-se, pulando o muro do lado esquerdo do estreito caminho. Depois, correram para alcançá-lo. O nome de um era Formalista; o do outro, Hipocrisia. Assim, conforme falei, aproximaram-se de Cristão, e este começou a conversar com eles.

— De onde vindes e para onde ides? — perguntou.

— Nascemos na Terra da Vanglória — responderam Formalista e Hipocrisia —, e estamos indo ao monte Sião para recebermos louvores.

— Mas por que não entrastes pela porta estreita, localizada no início desta senda? — inquiriu Cristão. — Não sabeis que está escrito, "Em verdade, em verdade vos digo: aquele que não entra pela porta no aprisco das ovelhas, mas sobe por outra parte, esse é ladrão e salteador"[77]?

— Pode ser — admitiram ambos —, mas todos os nossos compatriotas concordam que essa entrada, ou porta estreita, como mencionaste, é longe demais. Em lugar disso, nossos conterrâneos preferem pegar um atalho e pulam o muro nesta parte do caminho, como nós fizemos.

— Mas esse vosso costume não pode ser considerado transgressão contra o Senhor da Cidade Celestial, para onde vamos, e, por isso, uma violação da sua vontade revelada?

— Ora, não te preocupes com isso — disseram Formalista e Hipocrisia. — Esse modo de acesso se tornou um costume tradicional. De fato, muitas testemunhas asseguram que esta entrada é aceita há milhares de anos.

— Ainda assim, acaso vos submeteríeis a uma investigação por um tribunal de justiça?

— Achamos que sim — replicaram. — Nossa tradição tem sido aceita por tanto tempo, mais de mil anos, que certamente seria aceita

---

[77] João 10:1

como uma determinação legal por qualquer juiz imparcial. De qualquer modo, falando em termos práticos, já estamos no caminho, de modo que não importa como aqui chegamos. Se aqui estamos, é porque aqui entramos. Pelo que vemos, tu pegaste o caminho ao entrar pela porta estreita, e nós também pegamos o caminho ao pular o muro. Assim, como pode tua atual condição ser diferente da nossa?

— Viajo conforme a regra do meu Mestre — respondeu Cristão. — E vós, de acordo com sua imaginação, a qual carece de informação. Vós já sois considerados ladrões pelo Senhor deste caminho. Por isso, tenho certeza de que, no final da estrada, sereis expostos como peregrinos ilícitos. Vós pegastes esta senda por meio de um artifício, sem terem recebido Sua orientação. E, por isso, tereis que deixar esta trilha sem Sua misericórdia.

Ao ouvirem isso, não responderam. Sugeriram apenas que Cristão cuidasse de si mesmo. Então, vi os homens tomarem seu rumo, sem, porém, falarem muito. Contudo, os dois intrusos ainda tinham algo a dizer. Com relação a leis e a determinações legais, eles, sem dúvidas, tinham consciência da obrigação de obedecer-lhes tanto quanto Cristão. Assim, retomaram a conversa:

— Não podemos ver em que és diferente de nós, a não ser pela roupa que usas, que provavelmente te foi dada por teus vizinhos para esconder tua vergonhosa nudez.

— Em obediência às leis e aos decretos, vós não sereis salvos, uma vez que não entraram pela porta estreita[78] — afirmou Cristão. — Com relação a estas vestes, elas me foram dadas pelo Senhor da Cidade Celestial, para onde me dirijo. Sim, seu propósito é

---

[78] **Gálatas 2:16**: "Sabendo que o homem não é justificado pelas obras da lei, mas pela fé em Jesus Cristo, temos também crido em Jesus Cristo, para sermos justificados pela fé em Cristo, e não pelas obras da lei; porquanto pelas obras da lei nenhuma carne será justificada"; **Efésios 2:15**: "Na sua carne desfez a inimizade, isto é, a lei dos mandamentos, que consistia em ordenanças, para criar em si mesmo dos dois um novo homem, fazendo a paz".

cobrir minha nudez, e, além disso, eu as aceito como prova da bondade que ele me concedeu, quando até então eu vestia nada senão farrapos[79]. Ademais, estas vestes me confortam enquanto viajo. Penso sobre a hora em que eu chegar ao portão da Cidade Celestial. Certamente, o Senhor me reconhecerá por causa das roupas que visto, as quais Ele me deu no dia em que me despiu dos farrapos que eu usava.

— Além do mais — prosseguiu Cristão —, trago uma marca na testa que vós não deveis ter notado. Ela me foi feita por um dos colaboradores mais íntimos do meu Senhor, no mesmo dia em que o fardo que me oprimia caiu dos meus ombros. Adicionalmente, recebi um pergaminho lacrado com um selo para que o leia em busca de conforto ao longo do caminho. Recebi ordem de entregá-lo no portão da Cidade Celestial como prova de que tenho autorização para entrar. Contudo, duvido que vós desejeis qualquer uma dessas coisas, apesar de carecerdes delas, uma vez que não passastes pela porta estreita.

Os dois não responderam a esses comentários, mas entreolharam-se e começaram a rir. Notei que ambos passaram a caminhar atrás, embora Cristão seguisse à frente, sozinho. Assim, sem falar mais com os estranhos, pensava com seus botões, ora lamentando-se, ora expressando satisfação. Para revigorar-se, frequentemente lia o pergaminho que havia recebido de um dos Seres Resplandecentes.

Em seguida, observei-os prosseguir até chegarem aos pés da Colina da Dificuldade, onde havia uma fonte[80]. Também havia

---

[79] Isaías 61:10: "Regozijar-me-ei muito no Senhor, a minha alma se alegrará no meu Deus; porque me vestiu de roupas de salvação, cobriu-me com o manto de justiça, como um noivo se adorna com turbante sacerdotal, e como a noiva que se enfeita com as suas joias"; Gálatas 3:27: "Porque todos quantos fostes batizados em Cristo já vos revestistes de Cristo".

[80] A fonte é um símbolo que se associa à água e, ao mesmo tempo, à profundidade do mistério e ao acesso a conhecimentos ou recursos ocultos. Na Bíblia, a fonte aparece relacionada à purificação, à bênção e à água da vida.

O Peregrino

dois caminhos que saíam diretamente do portão; um virava à esquerda, enquanto o outro, à direita. A trilha estreita que subia a colina chamava-se Dificuldade.

Cristão foi até a fonte, de onde bebeu para refrescar-se[81]. Então, começou a subir a colina, enquanto recitava:

> — A colina, embora alta, ambiciono escalar
> Sem a dificuldade me afetar,
> Pois sei que o caminho para a vida é este.
> Vamos! Ânimo, coração, rumo ao celeste,
> É melhor, apesar de difícil, seguir o caminho certo
> Do que o incerto, onde o mal aguarda decerto.

Enquanto isso, os outros dois chegaram ao pé da colina. Mas quando viram que a encosta era alta e íngreme e que havia dois caminhos a tomar, presumiram que as duas trilhas se encontrariam à frente da senda ascendente pela qual Cristão seguira, do outro lado da colina. Assim, escolheram o caminho que lhes pareceu mais fácil. Ora, o nome de uma dessas sendas era Perigo, e o da outra, Destruição. Um deles pegou a trilha do Perigo, que o levou ao interior de uma densa floresta, e o outro rumou pelo caminho da Destruição, que o conduziu a um campo largo, onde se erguiam montanhas sombrias; lá, ele caiu e não mais se levantou.

---

[81] Isaías 49:10: "Nunca terão fome, nem sede, nem o calor, nem o sol os afligirá; porque o que se compadece deles os guiará e os levará mansamente aos mananciais das águas".

— Acaso podem os que começam errado terminar certo?
Preza a segurança de seu amigo, decerto?
Não, não! De modo obstinado se vão,
E de maneira precipitada caem no escuro vão.

Em seguida, vi Cristão subindo a colina. Percebi que ele diminuíra o passo, e que, depois, passou a escalar com as mãos e joelhos, devido à grande inclinação daquele trecho do caminho. Na metade do caminho ao topo da colina, havia uma pérgula, ali colocada pelo senhor do lugar para os viajantes fatigados descansarem. Lá chegando, Cristão sentou-se, e tomando o pergaminho que levava consigo, começou a ler para se confortar. Também aproveitou para reparar melhor nas vestes que recebera aos pés da cruz. Tendo assim relaxado, adormeceu e caiu num sono profundo, que o deteve naquele lugar até quase anoitecer. Enquanto dormia, o pergaminho caiu de sua mão. Durante o sono, uma pessoa se aproximou dele, dizendo:

— "Vai ter com a formiga, ó preguiçoso; considera os seus caminhos, e sê sábio"[82].

Isso despertou Cristão, que se pôs de novo a caminho e com passo acelerado, até chegar ao alto da colina. Lá estavam dois homens que foram correndo ao seu encontro. O nome de um era Temeroso, e o do outro, Desconfiança. Cristão dirigiu-se a eles:

— Senhores, qual é o problema? Estais indo na direção errada.

Temeroso respondeu que estavam indo à cidade de Sião e que chegaram a um local de difícil passagem.

— A partir dali — continuou ele —, quanto mais avançávamos, mais perigos encontrávamos. Por isso, voltamos para cá.

— Sim — confirmou Desconfiança. — Encontramos dois leões no caminho. Se estavam dormindo ou acordados, não sabemos, nem poderíamos pensar, pois se nos aproximássemos, eles nos fariam em pedaços.

— Vós me assustais — disse Cristão. — Mas, de que adianta eu fugir para a segurança? Se eu voltar à minha cidade, que está destinada a ser destruída por fogo e enxofre, certamente lá perecerei. Se, porém, conseguir chegar à Cidade Celestial, tenho certeza de

---

[82] Provérbios 6:6.

que encontrarei segurança. Devo arriscar. Retornar significa nada menos que a morte. À frente está o medo da morte, e além dele, a vida eterna. Irei adiante.

Desse modo, Desconfiança e Temeroso correram colina abaixo, e Cristão continuou seu caminho. Contudo, ao refletir sobre o que ouvira daqueles homens, apalpou por baixo de sua veste em busca de seu pergaminho, por desejar lê-lo em busca de conforto. Mas não o encontrou. Cristão ficou, assim, muito angustiado e sem saber o que fazer. Desejava aquilo que o confortava e que deveria permitir sua entrada na Cidade Celestial. Perplexo e confuso, acabou lembrando-se de que havia dormido na pérgula, na encosta da colina. Caindo de joelhos, pediu perdão a Deus por seu ato tolo e retornou em busca do pergaminho. Quem, porém, poderia imaginar a tristeza de Cristão enquanto voltava pela trilha? Entre lágrimas e suspiros, repreendia-se por ser tão tolo a ponto de adormecer naquele local, construído apenas para um breve descanso. Assim, retornou, olhando minuciosamente os dois lados da estrada por todo o caminho, esperando ter a felicidade de encontrar o pergaminho que o havia confortado ao longo da jornada.

E, dessa maneira, chegou a um ponto de onde podia vislumbrar a pérgula onde dormira. A vista, porém, apenas aumentou sua tristeza, pois lembrou a ele o mal de haver adormecido[83]. Assim, portanto, ele continuou a lamentar seu sono pecaminoso, dizendo:

— Ah, homem malfadado que sou por dormir durante o dia! Por dormir no meio da dificuldade! Por satisfazer a carne, usando a pérgula para alívio carnal, quando o Senhor da colina a ergueu para aliviar o espírito dos peregrinos! Quantos passos dei em vão! Isso

---

[83] Apocalipse 2:5 "Lembra-te, pois, de onde caíste, e arrepende-te, e pratica as primeiras obras; e se não, brevemente virei a ti, e removerei do seu lugar o teu candeeiro, se não te arrependeres"; 1 Tessalonicenses 5:7-8: "Porque os que dormem, dormem de noite, e os que se embriagam, embriagam-se de noite; mas nós, porque somos do dia, sejamos sóbrios, vestindo-nos da couraça da fé e do amor, e tendo por capacete a esperança da salvação".

aconteceu a Israel, por causa de seus pecados, e o Mar Vermelho se abriu para eles para que pudessem retornar. E eu precisei dar esses passos cheio de sofrimento, quando poderia tê-los dado cheio de alegria, se não fosse por esse sono pecaminoso. O quanto eu já teria avançado a esta altura! Precisarei percorrer esse trecho três vezes, e não teria precisado percorrê-lo senão uma única vez. Sim, e ainda também terei que pernoitar no caminho, pois o dia está quase acabando. Ah, se eu não houvesse adormecido!

Ao chegar novamente à pérgula, ele se sentou por um momento e chorou. Finalmente, olhou cheio de tristeza debaixo da estrutura e lá viu o pergaminho, o qual pegou apressadamente e colocou sob sua veste, sobre o peito. Mas, quem conseguiria imaginar a alegria desse homem quando recuperou seu pergaminho! Aquele rolo era sua garantia de vida e de entrada no refúgio desejado. Por isso, apertou-o contra o peito e deu graças a Deus por dirigir seus olhos ao lugar onde havia caído, retomando, com lágrimas de alegria, sua jornada. Ah, como ele subiu ligeiro a colina! Mesmo assim, antes de Cristão chegar, o Sol se pôs, e isso o fez recordar de novo da leviandade do seu cochilo. Por isso, voltou a censurar-se:

— Ah, sono pecaminoso! Por sua causa, a noite cai enquanto viajo! Tenho que caminhar sem o Sol, e a escuridão cobrirá a senda dos meus pés e terei que ouvir o som das tristes criaturas da noite por causa do meu sono pecaminoso![84]

Então, também se lembrou da história que Desconfiança e Temeroso lhe contaram e sobre como ficaram amedrontados ao ver os leões. E assim falou consigo mesmo:

— Essas feras andam à noite em busca de suas presas. E se elas me encontrarem no escuro, como poderei evitá-las? Como escaparei de ser feito em pedaços?

---

[84] 1 Tessalonicenses 5:6: "Não durmamos, pois, como os demais, antes vigiemos e sejamos sóbrios".

Desse modo, ele prosseguiu. Mas enquanto lastimava sua infeliz situação, ergueu os olhos e deparou-se com um majestoso palácio, cujo nome era Beleza, ao lado da estrada.

Vi em meu sonho que Cristão se apressou e seguiu adiante, com esperança de ser possível ali conseguir refúgio. Antes, porém, de ir muito longe, transpôs uma passagem muito estreita, a cerca de duzentos metros da casa do porteiro. Então, viu dois leões diante de si. "Agora vejo o perigo que fez Desconfiança e Temeroso fugirem", pensou. (Os leões estavam acorrentados, mas Cristão não viu as correntes.) Com medo, pensou em voltar, pois achava que não encontraria nada além de morte diante dele. Mas o porteiro que estava na casa, cujo nome era Vigilante, percebendo que Cristão havia se detido como se fosse retornar, gritou-lhe:

— Sua coragem é assim tão pequena?[85] Não temas os leões, pois estão acorrentados, e aqui estão para testar se os viajantes têm fé ou não. Mantém-te no caminho do meio[86] e nenhum mal te acometerá.

---

[85] **Marcos 8:34-37:** "E chamando a si a multidão com os discípulos, disse-lhes: se alguém quer vir após mim, negue-se a si mesmo, tome a sua cruz, e siga-me. Pois quem quiser salvar a sua vida, perdê-la-á; mas quem perder a sua vida por amor de mim e do evangelho, salvá-la-á. Pois que aproveita ao homem ganhar o mundo inteiro e perder a sua vida? Ou que diria o homem em troca da sua vida?"

[86] O caminho do meio representa a moderação, o equilíbrio.

Dificuldade atrás, medo à frente, escuridão.
Embora tenha chegado à colina, ruge o leão.
Nunca o cristão descansa,
Quando um temor se vai, outro vem e não se amansa.

Então, vi que ele prosseguia, tremendo de medo dos leões; mas, dando atenção às orientações do porteiro, ouviu-os rugir e não sofreu qualquer mal. Ao passar, bateu as mãos de alegria, e continuou até alcançar o portão onde estava o porteiro. Cristão perguntou a ele:

— Senhor, que casa é esta? Acaso poderia eu passar a noite aqui?

— Esta casa foi construída pelo senhor da colina para descanso e segurança dos peregrinos — respondeu o porteiro. E, em seguida, perguntou de onde Cristão provinha e para onde ia.

— Venho da Cidade da Destruição e estou indo para o monte Sião — disse Cristão. — Mas, como o Sol já se pôs, desejo, se puder, passar a noite aqui.

— Qual é teu nome?

— Agora me chamo Cristão, mas antes me chamava Desprovido de Graça. Sou da raça de Jafé, a quem Deus persuadiu a ir viver nas tendas de Sem[87].

— Mas o que aconteceu para chegares aqui tão tarde? O Sol já se pôs.

— Eu teria chegado mais cedo, mas, ah, como sou deplorável, dormi na pérgula que fica na encosta da colina. Apesar disso, eu teria chegado aqui muito antes se, durante o sono, não houvesse perdido meu pergaminho, e, ao prosseguir viagem e procurá-lo, não o tendo encontrado, fui forçado a voltar ao local onde adormecera, onde por fim encontrei o rolo, e agora aqui estou.

— Bem, chamarei uma das virgens[88] do local. Se ela gostar da tua conversa, apresentá-lo-á ao resto da família, de acordo com as regras da casa.

---

[87] Gênesis 9:27: "Alargue Deus a Jafé, e habite nas tendas de Sem; e seja-lhe Canaã por servo".

[88] As virgens são símbolos de pureza e de espiritualidade, mulheres que renunciaram aos desejos mundanos e se dedicam a servir a Deus.

O PEREGRINO

Assim, Vigilante, o porteiro, fez soar um sino. A esse som, surgiu à porta da casa uma donzela séria e linda, chamada Discrição, que indagou por que havia sido chamada.

— Este homem está fazendo uma viagem da Cidade da Destruição ao monte Sião — respondeu o porteiro —, mas, estando cansado e como já escureceu, pediu-me para hospedar-se aqui esta noite. Por isso, disse a ele que a chamaria para que, depois de conversarem, fizesses o que for melhor, de acordo com a lei da casa.

A donzela perguntou a Cristão de onde provinha e para onde ia, e ele lhe disse. Também quis saber como Cristão havia encontrado o caminho, e ele lhe respondeu. Em seguida, indagou o que ele havia visto e encontrado na senda, e ele lhe contou. Por fim, ela lhe perguntou seu nome.

— É Cristão — replicou —, e desejo ainda mais passar aqui a noite, pois soube que este lugar foi construído pelo Senhor da colina para o descanso e a segurança dos peregrinos.

Ela sorriu, mas havia lágrimas em seus olhos. Depois de uma pequena pausa, disse:

— Vou chamar mais duas ou três pessoas da família.

E correu até a porta chamando Prudência, Piedade e Caridade, as quais, depois de conversarem um pouco com Cristão, o apresentaram aos outros membros da família. Estes o saudaram no umbral da casa, dizendo:

— Entre, abençoado do Senhor! Esta casa foi construída pelo Senhor da colina para receber os peregrinos.

Cristão inclinou a cabeça e os seguiu para dentro da casa. Fizeram-no sentar e deram-lhe algo para beber, combinando que, até a ceia ficar pronta, conversariam com Cristão, de modo a melhor aproveitar o tempo. Assim, designaram Piedade, Prudência e Caridade para instruírem o hóspede. Dessa forma, principiaram:

— Vem, bom Cristão — começou Piedade —, como fomos tão amáveis contigo recebendo-te em nossa casa esta noite, deixa-nos, para que possamos nos aperfeiçoar ainda mais, falar-te sobre as coisas que te aconteceram em tua peregrinação.

— Com muito boa vontade — assentiu Cristão —, e agradeço por vossa disposição em fazê-lo.

— O que te motivou a adotar a vida de peregrino? — indagou Piedade.

— Fui levado a deixar meu país de origem por causa de um som aterrorizante, que permanecia em meus ouvidos para me conscientizar da destruição inevitável que me aguardaria se eu continuasse a viver no lugar onde estava.

— Mas como tomaste este caminho?

— Foi Deus que me orientou, pois enquanto estava tomado pelo medo da destruição, não sabia para onde ir. Por acaso, um homem apareceu, enquanto eu, trêmulo, chorava. Seu nome era Evangelista, e ele me disse para ir até a porta estreita, a qual, sem sua ajuda, eu nunca teria encontrado. Assim, ele me ensinou o caminho que me trouxe diretamente a esta casa.

— Mas não passaste pela casa do Intérprete? — indagou Piedade.

— Sim, e vi lá coisas maravilhosas, cujas lembranças levarei comigo para o resto da vida, especialmente três ensinamentos: saber como Cristo, apesar do esforço de Satã, mantém a obra da graça no coração dos homens; como os homens pecam além da possibilidade da misericórdia de Deus; e conhecer o sonho do homem que viu enquanto dormia que o dia do julgamento havia chegado.

— Ora, ouviste-o contar seu sonho?

— Sim, e era terrível. Meu coração doeu enquanto o homem falava. Mas estou feliz por tê-lo ouvido.

— Isso foi tudo que viste na casa do Intérprete?

— Não — disse Cristão. — Ele me levou a um suntuoso palácio, onde havia pessoas vestidas de dourado e também um homem corajoso que abriu seu caminho entre guardas armados que protegiam a porta para evitar que ele lá entrasse; então, ele recebeu permissão para entrar e conquistar a glória eterna. Tais coisas me arrebataram! Eu teria permanecido na casa daquele bom homem um ano todo, mas sabia que devia continuar.

— E o que mais viste no caminho? — perguntou Piedade.

— Continuei um pouco mais e vi, em minha mente, um homem crucificado, sangrando, em uma árvore[89]. A simples visão fez que meu fardo caísse das minhas costas (pois eu carregava um fardo muito pesado). Foi algo estranho para mim, pois nunca havia visto nada parecido. E enquanto eu admirava, porque não conseguia parar de admirar, três Seres Resplandecentes vieram até mim. Um deles me assegurou que meus pecados haviam sido perdoados; outro despiu-me de meus farrapos e me deu este manto bordado que aqui vês; e o terceiro fez a marca que vês em minha testa e me ofertou este pergaminho lacrado com um selo (ao dizer isso, puxou o pergaminho de sob as vestes, junto ao peito).

— Mas viste ainda mais coisas, certo? — insistiu Piedade.

— Essas coisas que te contei são as melhores, mas também vi outras. Encontrei três homens, Simplório, Ócio e Presunção, que dormiam à margem do caminho, com os pés acorrentados. Mas achas que consegui despertá-los? Também encontrei Formalista e Hipocrisia pulando o muro para ir, como pretendiam, a Sião, mas se perderam, conforme eu os havia prevenido e eles não acreditaram. Acima de tudo, porém, achei muito difícil subir esta colina, assim como não foi fácil passar entre as presas dos leões; e, realmente, se não fosse pelo bom homem, o porteiro que guarda o portão, não sei se eu não teria voltado. Mas, graças a Deus, agora estou aqui e agradeço a vós por terem me acolhido.

Então, Prudência pensou em fazer-lhe algumas perguntas, querendo saber o que ele responderia:

---

[89] A árvore do retorno é a Cruz.

— Não pensas, às vezes, na tua terra natal?

— Sim, mas com vergonha e aversão: "E se, na verdade, se lembrassem daquela de onde haviam saído, teriam oportunidade de tornar. Mas agora desejam uma melhor, isto é, a celestial"[90].

— Ainda pensas nas coisas que então o preocupavam? — quis saber Prudência.

— Sim, mas muito a contragosto, especialmente minhas preocupações carnais, com as quais todos os meus conterrâneos, inclusive eu, se deleitavam. Agora, porém, essas coisas são meu sofrimento, e se eu pudesse escolher, escolheria nunca mais pensar nisso. Contudo, mesmo fazendo as melhores coisas, as piores continuam comigo[91].

— Às vezes não achas que essas coisas parecem superadas, enquanto, por vezes, ainda o deixam perplexo? — perguntou Prudência.

— Sim, mas raramente. Quando, porém, essas coisas acontecem comigo, são horas preciosas.

— Consegues lembrar por quais meios sentes que, às vezes, tuas contrariedades são superadas? — prosseguiu Prudência.

— Sim. Quando penso no que vi diante da cruz, por exemplo; e quando observei meu manto bordado, ou quando leio o pergaminho que trago junto ao peito; e também quando meus pensamentos se alegram quando lembro do lugar a que estou indo.

— O que te faz querer tanto ir ao monte Sião?

---

[90] Hebreus 11:15-16: "E se, na verdade, se lembrassem daquela donde haviam saído, teriam oportunidade de voltar. Mas agora desejam uma pátria melhor, isto é, a celestial. Pelo que também Deus não se envergonha deles, de ser chamado seu Deus, porque já lhes preparou uma cidade".

[91] Romanos 7:16-19: "E, se faço o que não quero, consinto com a lei, que é boa. Agora, porém, não sou mais eu que faço isto, mas o pecado que habita em mim. Porque eu sei que em mim, isto é, na minha carne, não habita bem algum; com efeito o querer o bem está em mim, mas o efetuá-lo não está. Pois não faço o bem que quero, mas o mal que não quero, esse pratico".

O Peregrino

— Ora, lá espero ver vivo Aquele que morreu na cruz, e também livrar-me de tudo que me perturba. Ali, dizem, não há morte, e lá viverei na companhia dos melhores[92]. Para dizer a verdade, eu O amo porque Ele aliviou meu fardo, e estou cansado da minha doença interior. Quero estar no lugar onde não mais morrerei, na companhia daqueles que cantam continuamente: "Santo, Santo, Santo!".

Então, Caridade dirigiu-se a Cristão:

— Tens família? És casado?

— Tenho esposa e quatro filhinhos.

— E não os trouxeste?

— Ah, como eu queria tê-los trazido! — respondeu Cristão entre lágrimas. — Mas todos foram totalmente contrários à minha peregrinação.

— Deverias ter conversado com eles e te esforçado para mostrar-lhes o perigo que os espreitava — retorquiu Caridade.

— Eu fiz isso, e também lhes falei sobre a destruição de nossa cidade, conforme Deus me revelou; fui "tido, porém, por zombador"[93].

— E oraste a Deus pedindo que abençoasse o conselho que lhes davas?

— Sim, e o fiz com muito afeto, pois minha esposa e meus pobres filhos me eram muito queridos.

— Mas lhes contaste sobre tua tristeza e teu medo da destruição? — questionou Caridade. — Creio que a destruição estava bem visível para ti.

---

[92] Isaías 25:8: "Aniquilará a morte para sempre, e assim enxugará o Senhor Deus as lágrimas de todos os rostos, e tirará o opróbrio do seu povo de toda a terra; porque o Senhor o disse."; Apocalipse 21:4: "E Deus limpará de seus olhos toda a lágrima; e não haverá mais morte, nem pranto, nem clamor, nem dor; porque já as primeiras coisas são passadas".

[93] Gênesis 19:14: "Então saiu Ló, e falou a seus genros, aos que haviam de tomar as suas filhas, e disse: Levantai-vos, saí deste lugar, porque o Senhor há de destruir a cidade. Foi tido, porém, por zombador aos olhos de seus genros".

O temor de perecer estava estampado no rosto de Cristão.

— Sim, repetidas vezes. Eles também podiam ver o medo gravado em minha face, presente nas minhas lágrimas e, também, nas minhas tremedeiras, devido à tensão causada pelo julgamento que todos teremos que enfrentar. No entanto, nada disso foi suficiente para convencê-los a virem comigo.

— Mas o que disseram eles? Por que não vieram?

— Minha esposa temia perder este mundo, e meus filhos estão dominados pelos tolos deleites da juventude. Assim, seja por um motivo ou por outro, não me acompanharam, e por isso venho sozinho.

— Mas, com tua vida fútil, acaso não contradisseste as palavras que usaste para persuadi-los?

— Com efeito, minha vida não é digna de elogios, pois tenho consciência das muitas faltas que cometi. Sei também que, por sua conduta, um homem pode anular o que, por argumento ou persuasão, tenta passar aos outros para seu próprio bem. Posso, porém, afirmar que tive muito cuidado para não lhes dar motivo, por qualquer ato indecoroso, de terem aversão pela peregrinação. Sim, e por isso mesmo, diziam que eu era por demais rígido e que me privava de coisas nas quais eles não viam qualquer mal. Tampouco creio que posso dizer que se viram em mim algo que os deteve, foi meu grande temor em pecar contra Deus ou de fazer qualquer maldade contra meu próximo.

— De fato, Caim odiava seu irmão, "porque as suas obras eram más e as de seu irmão justas"[94]. E se sua esposa e filhos se ofenderam com isso, mostraram, desse modo, serem implacáveis diante do bem, "mas tu livraste a tua alma"[95].

---

[94] 1 João 3:12: "Não como Caim, que era do maligno, e matou a seu irmão. E por que causa o matou? Porque as suas obras eram más e as de seu irmão justas".

[95] Ezequiel 3:19: "Mas, se avisares ao ímpio, e ele não se converter da sua impiedade e do seu mau caminho, ele morrerá na sua iniquidade, mas tu livraste a tua alma".

O Peregrino

E, em meu sonho, observei-os conversar desse modo até a ceia ficar pronta. Assim, sentaram-se à mesa para cear. A mesa estava coberta com uma abundância de boas coisas e com vinho refinado, e eles conversaram sobre o Senhor da colina, sobre o que Ele havia feito, sobre o porquê de ter feito o que fez, e sobre o motivo de ter construído aquela casa. E, pelo que disseram, percebi que Ele havia sido um grande guerreiro que havia combatido e imolado "aquele que tinha o poder de morte", mas não sem correr grande perigo, o que me fez amá-Lo ainda mais[96].

Pois, como disseram, e eu acredito (disse Cristão), Ele realizou isso a custo de muito sangue. Contudo, aquilo que glorificou tudo o que Ele fez foi que fez o que fez por puro amor. Além disso, algumas pessoas da casa afirmaram que estiveram e conversaram com Ele desde que morreu na cruz, e afirmaram terem ouvido de Seus próprios lábios que ama os pobres peregrinos como ninguém no mundo todo.

Além disso, deram um exemplo para confirmar o que afirmavam, isto é, que Ele desistiu de Sua glória pelos pobres. E O ouviram dizer e afirmar "que ele não habitará sozinho as montanhas do Sião". Disseram, ainda, que Ele fez de muitos peregrinos príncipes, embora, por natureza, nasçam como pedintes, sobre montes de estrume[97].

Dessa maneira, conversaram até tarde da noite, e depois de pedirem a proteção do Senhor, retiraram-se para repousar. O peregrino ficou num quarto grande no andar superior, cuja janela

---

[96] **Hebreus 2:14-15**: "E, visto como os filhos participam da carne e do sangue, também ele participou das mesmas coisas, para que pela morte aniquilasse o que tinha o império da morte, isto é, o diabo; E livrasse todos os que, com medo da morte, estavam por toda a vida sujeitos à servidão".

[97] **1 Samuel 2:8**: "Levanta o pobre do pó, e desde o monturo exalta o necessitado, para o fazer assentar entre os príncipes, para o fazer herdar o trono de glória; porque do Senhor são os alicerces da terra, e assentou sobre eles o mundo"; **Salmos 113:7**: "Levanta o pobre do pó e do monturo levanta o necessitado".

abria-se para o nascer do Sol. O nome do quarto era Paz. Ali dormiu até raiar o dia. Quando acordou, cantou:

> — Onde estou agora? São estes o amor e a atenção
> Que Jesus dedica ao tipo de homem que os peregrinos são?
> E deste modo Ele concede! Que seja perdoado o réu!
> E habite as vizinhanças do céu!

Após todos se levantarem e conversarem ainda mais, disseram-lhe que não partisse antes que lhe mostrassem as raridades do local. Primeiro, levaram-no até o estúdio, onde lhe mostraram registros antiquíssimos. Conforme me lembro do sonho, nesses registros havia a genealogia do Senhor da colina. Cristão viu que Ele era filho do Ancião dos Dias oriundo da geração eterna. Ali também estavam documentados os atos que Ele havia realizado e os nomes das centenas de pessoas que tomara a seu serviço, e como lhes dera suas casas, que nem o tempo nem os rigores da natureza podem destruir.

Em seguida, os moradores da casa leram para Cristão sobre os atos valorosos que alguns dos Seus servos haviam realizado; sobre como "por meio da fé venceram reinos, praticaram a justiça, alcançaram promessas, fecharam a boca dos leões, apagaram a força do fogo, escaparam do fio da espada, da fraqueza tiraram forças, tornaram-se poderosos na guerra, puseram em fuga os exércitos estrangeiros"[98].

Em outra parte dos registros da casa leram que o Senhor desejava favorecer muitos. Na verdade, qualquer um, até mesmo aquele que afrontara demasiadamente Sua Pessoa e Seus atos. Havia também diversas histórias sobre outras coisas célebres, que Cristão conheceu. E também coisas novas e antigas, juntamente com profecias e previsões de eventos que certamente acontecerão,

---

[98] Hebreus 11:33-34.

O Peregrino

tanto para o assombro dos inimigos como para o conforto e consolo dos peregrinos.

No dia seguinte, levaram-no ao arsenal, onde mostraram todos os tipos de armamentos que o Senhor provê aos peregrinos, como espadas, escudos, capacete, couraça, Toda Oração, e botas que nunca se desgastam. E havia tantos desses itens para armar tantos homens a serviço do Senhor quanto há estrelas no céu.

Mostraram-lhe, também, alguns dos objetos que Seus servos utilizaram para realizar coisas maravilhosas. Levaram-lhe o cajado de Moisés, o martelo e o cravo com o qual Jael matara Sísera; e os cântaros, as trombetas e as tochas com que Gideão fizera bater em retirada os exércitos de Midiã. Então, mostraram-lhe a aguilhada de bois que Sangar usara para matar seiscentos homens. E, ainda, a queixada com que Sansão realizara grandes proezas. Mostraram-lhe, além disso tudo, a funda e a pedra que Davi usara para derrubar Golias de Gate, e também a espada com a qual o Senhor matará o homem iníquo no Dia do Juízo. Mostraram-lhe, ademais, muitas coisas excelentes, com as quais Cristão ficou muito encantado. Depois disso, foram repousar.

Vi, então, em meu sonho, que, na manhã seguinte, Cristão se levantou para continuar viagem. Mas os anfitriões desejaram que ele ficasse mais um dia para, se o tempo estivesse claro, mostrar-lhe as Montanhas Deleitáveis, que lhe dariam ainda mais ânimos, pois ficavam próximas do local onde estavam. Assim, ele consentiu e permaneceu. Quando a manhã já ia alta, levaram-no ao terraço da casa e lhe disseram para olhar na direção sul. Ele procedeu desse modo e viu, a grande distância, uma região montanhosa muito aprazível, com bosques, vinhas, árvores frutíferas de todos os tipos, bem como flores, com nascentes e fontes, que davam muito prazer de se olhar[99].

---

[99] Isaías 33:16-17: "Este habitará nas alturas; as fortalezas das rochas serão o seu alto refúgio; dar-se-lhe-á o seu pão; as suas águas serão certas. Os teus olhos verão o rei na sua formosura, e verão a terra que se estende em amplidão".

Cristão perguntou o nome daquela região, e lhe disseram que era a Terra de Emanuel, onde todos os peregrinos tinham livre passagem. Informaram, igualmente, que quando lá chegasse, poderia ver o portão da Cidade Celestial, pois os pastores que ali vivem lho mostrariam.

Então, ele sentiu que já era hora de partir, e seus anfitriões concordaram. Antes, porém, convidaram-no a voltar ao arsenal. Lá chegando, equiparam-no dos pés à cabeça, para o caso de encontrar perigos no caminho. Armado dessa maneira, caminhou acompanhado por seus amigos até o portão, onde perguntou ao porteiro se havia visto peregrinos passarem por ali. E o porteiro respondeu que sim.

— Peço que me diga se o conhecia — pediu Cristão.

— Perguntei seu nome, e ele me respondeu: Fiel.

— Ah! — exclamou Cristão. — Ele é da minha cidade; é meu vizinho e vem do lugar onde nasci. A que distância achas que ele está à minha frente?

— A esta altura, já deve ter descido a colina — ponderou o porteiro.

— Obrigado, bom porteiro — disse Cristão. — Que Deus esteja contigo e que suas bênçãos se multipliquem por toda a gentileza que dedicaste a mim.

Cristão começou a caminhar, mas Piedade, Caridade e Prudência resolveram acompanhá-lo até o pé da colina. Assim, partiram os quatro, retomando as conversas anteriores até terem descido a colina. Então, Cristão falou:

— Vejo que descer é tão difícil como subir.

— Sim — concordou Prudência. — Isso se deve ao fato de que é difícil para um homem descer ao Vale da Humildade, onde estás agora, e não escorregar pelo caminho.

— Por isso — disseram elas —nós te acompanhamos.

Cristão continuou a descer, mas com muita cautela. Mesmo assim, escorregou uma ou duas vezes.

O Peregrino

Em seguida, vi em meu sonho que ao descer ao pé da colina, suas boas companhias deram a Cristão um filão de pão, uma garrafa de vinho e um cacho de uvas em passa. Então, ele partiu.

Contudo, nesse Vale da Humildade, o pobre Cristão encontrou dificuldades. Ele não havia ido muito longe quando viu um demônio imundo indo em sua direção. Seu nome era Apoliom[100]. Cristão teve medo e pensou se deveria retornar ou aguentar firme. Considerou que não vestia uma armadura que protegesse suas costas, de modo que, se as desse ao inimigo, poderia ser atingido por flechas ou lança.

---

[100] Também chamado de Abadom, termo hebraico que significa "destruição"; em Apocalipse 9:11, um anjo chamado Abadom é descrito como rei do abismo sem fim de onde emerge um exército de gafanhotos: "E tinham sobre si rei, o anjo do abismo; em hebreu era o seu nome Abadom, e em grego Apoliom".

Enquanto entre bons amigos está, ouve Cristão,
de suas bocas d'ouro, os bons conselhos que lhe dão
que aplacam seu coração; e quando o deixam partir,
Ele vai vestido de aço e com a espada a brandir.

Desse modo, ele decidiu ficar e enfrentar o demônio, pois pensou, "se eu tivesse mais nada em mente além de salvar minha vida, o melhor a fazer seria confrontar". Assim, ele prosseguiu, e Apoliom o abordou. O monstro tinha uma aparência horrenda: coberto de escamas, como um peixe (e orgulhava-se delas), asas de dragão, patas de urso, a barriga expelindo fogo e fumaça e presas de leão. Ao achegar-se a Cristão, mirou-o com um semblante cheio de desdém e começou a questioná-lo:

— De onde vens e para onde vais?

— Venho da Cidade da Destruição, que é o lugar onde se concentra todo o mal, e estou indo para a cidade de Sião — respondeu Cristão.

— Percebo que és um dos meus súditos — falou o demônio —, pois aquela cidade me pertence, e eu sou o príncipe e o deus dela. Como, então, fugiste do teu rei? Se eu não quisesse que ainda me servisses, eu te fulminaria com um só golpe.

— Eu nasci, com efeito, em teus domínios, mas servir-te é uma tarefa árdua, e o pagamento é tão baixo que não permite viver, pois "a paga do pecado é a morte"[101]. Assim, depois de certa idade, busquei, como outras pessoas distintas, reabilitar-me.

— Não sou um príncipe que deixa um súdito partir facilmente, tampouco te deixarei ir. Contudo, como reclamas de teu trabalho e do salário, contenta-te em voltar: as maiores riquezas da tua cidade prometo dá-las a ti — Apoliom tentou aliciá-lo.

— Mas jurei lealdade a outro, ao rei de todos os príncipes. Como posso manter minha lealdade se retornar contigo?

— Dessa maneira estás "mudando do mau ao pior", como diz o provérbio. Mas é comum que aqueles que se dizem Seus servos depois de um tempo desistam Dele e voltem para mim. Faze o mesmo e tudo ficará bem.

---

[101] **Romanos 6:23**: "Porque o salário do pecado é a morte, mas o dom gratuito de Deus é a vida eterna, por Cristo Jesus nosso Senhor".

— Eu dediquei minha fé a Ele e jurei fidelidade. Como poderia violar tal compromisso sem acabar enforcado como traidor? — redarguiu Cristão.

— Fizeste a mesma coisa comigo, e, apesar disso, estou disposto a relevar, desde que retornes.

— O que te prometi foi durante minha minoridade. E, além disso, conto com que o príncipe sob cujo estandarte eu me encontro seja capaz de me absolver e também de me perdoar pelo que fiz quando servi a ti. Ademais, oh, Apoliom destruidor, para falar a verdade, gosto de trabalhar para Ele, do salário que paga, dos Seus servos, do Seu governo, da Sua companhia, do Seu país, muito mais do que aquilo que tu ofereces. Por isso, desiste de tentar me persuadir. Sou servo Dele e seguirei com Ele.

— Considera novamente e com calma o que vais encontrar pelo caminho que queres seguir — preveniu Apoliom. — Sabe que na maioria, os servos d'Ele acabam mal, porque transgridem a mim e a meus modos. Quantos não tiveram uma morte infame! E dizes que preferes servir a Ele. Contudo, Ele nunca saiu de onde está para libertar de minhas mãos aqueles que O servem. Quanto a mim, quantas vezes não libertei d'Ele, fosse por força ou por fraude, aqueles que me serviram com fidelidade? Do mesmo modo, libertar-te-ei.

— Ele se abstém de libertá-los agora com o propósito de testar seu amor — protestou Cristão —, para saber se continuarão com Ele até o fim. E quanto a acabar mal, conforme disseste que aconteceu com muitos dos que me antecederam, isso é o que de mais glorioso poderia lhes acontecer, pois não esperavam ser libertados agora, porque buscam a glória, a qual receberão quando seu Príncipe vier em Sua glória e na glória[102] dos anjos.

— Já foste infiel em teu serviço a Ele. Como esperas receber pagamento?

---

[102] A repetição encontra-se no original.

O Peregrino

— Quando, oh, Apoliom, fui infiel a Ele?

— Fraquejaste no começo do caminho, quando quase te afogaste no Pântano do Desespero. Tentaste livrar-te de teu fardo por modos escuros, quando deverias ter esperado até que o Príncipe o retirasse. Adormeceste um sono ímpio e perdeste algo que te fora confiado. Também ficaste tentado a desistir quando avistaste os leões. E quando falas de tua jornada, do que ouviste e viste, estás desejoso de vanglória em tudo que dizes e fazes.

— Tudo isso é verdade, e muito mais que deixaste de mencionar — concordou Cristão —, mas o Príncipe a quem sirvo e a quem honro é misericordioso e está sempre pronto a perdoar. Além do mais, fui possuído por essas fraquezas na tua terra, pois lá as atraí. E elas me fizeram gemer e sofrer, e fui perdoado pelo meu Príncipe.

— Sou inimigo desse Príncipe! — gritou Apoliom, enfurecido. — Odeio Sua pessoa, Suas leis e Seu povo. Vim aqui com o propósito de impedir-te de continuar!

— Cuidado com o que fazes, Apoliom — preveniu Cristão —, pois estou na estrada do Rei, no caminho da santidade. Portanto, tem em consideração os teus atos.

Então, Apoliom escarranchou-se através de todo o caminho e disse:

— Não temo isso: prepara-te para morrer, pois juro pelo meu covil infernal que não irás adiante. Aqui farei verter tua alma.

E, tendo dito isso, lançou um dardo flamejante no peito de Cristão. Cristão, porém, estava com seu escudo e desviou a flecha, evitando o perigo. Em seguida, Cristão desembainhou sua espada, pois viu que era hora de atacar. Apoliom respondeu lançando uma saraivada de dardos. Não obstante tudo o que Cristão fez para evitar os dardos, foi ferido na cabeça, mão e pé. Diante disso, Cristão recuou um pouco. Apoliom aproveitou a vantagem e continuou a atacar. Cristão recobrou a coragem e resistiu com toda a bravura que pôde. O combate inflamado durou mais que meio dia, até Cristão ter se exaurido, pois deves lembrar que, por conta de seus ferimentos, ele ficava cada vez mais fraco.

Percebendo a oportunidade, Apoliom aproximou-se do oponente, e atracando-se a ele, lançou-o no chão. Com o golpe, a espada de Cristão escapou de sua mão.

— Estás sob meu domínio agora — disse Apoliom.

E começou a estrangular seu opositor. Cristão começou a se desesperar, sentido que a morte chegava. Deus, porém, quis de outra forma, e enquanto Apoliom preparava seu golpe final para pôr um fim à vida desse bom homem, Cristão esticou a mão com agilidade e alcançou sua espada, exclamando:

— "Ó inimigo meu, não te alegres a meu respeito; ainda que eu tenha caído, levantar-me-ei"[103].

E, dizendo essas palavras, deu um golpe fatal, que fez o demônio recuar como alguém que recebe um ferimento mortal. Percebendo isso, Cristão tornou a atacar, falando:

— "Mas em todas estas coisas somos mais do que vencedores, por aquele que nos amou"[104].

Diante da ofensiva, Apoliom abriu suas asas de dragão e fugiu, e Cristão não o viu mais[105].

Nesse combate, ninguém consegue imaginar, a não ser que tenha visto e ouvido como eu vi e ouvi, os gritos e rugidos tenebrosos que Apoliom deu durante a luta, falando como um dragão. Tampouco pode conceber os gemidos e suspiros provindos do coração de Cristão. Nunca vi ninguém mais feliz que ele ao perceber que havia ferido Apoliom com sua espada de dois gumes. Então, ele sorriu e olhou para cima, mas o que viu foi a mais terrível visão que jamais contemplei.

---

[103] **Miqueias 7:8**: "Ó inimiga minha, não te alegres a meu respeito; ainda que eu tenha caído, levantar-me-ei; se morar nas trevas, o Senhor será a minha luz".

[104] **Romanos 8:37**.

[105] **Tiago 4:7**: "Sujeitai-vos, pois, a Deus, resisti ao diabo, e ele fugirá de vós".

Batalha em maior desvantagem nunca vi,
Cristão teve que lutar contra um anjo, mas percebi
Que o valente armado com Escudo e Espada
Conseguiu fazer o dragão fugir da batalha.

Assim, quando a batalha terminou, Cristão afirmou:

— Darei graças Àquele que me libertou das presas do leão, Àquele que me ajudou contra Apoliom.

E assim o fez, recitando:

> — Grande Belzebu, do inimigo capitão,
> Quis minha ruína e, para este fim, então,
> Enviou-o ao ataque: e ele, com ira infernal,
> Se engajou contra mim em batalha visceral.
> Mas o abençoado Miguel me ajudou, e eu
> Empunhei a espada que finalmente venceu.
> Por isso, permiti-me louvar e agradecer eternamente
> E sempre bendizer seu nome clemente.

Nesse momento, surgiu uma mão portando algumas folhas da Árvore da Vida[106], as quais Cristão pegou e aplicou sobre os ferimentos que recebera em batalha, e suas feridas se curaram imediatamente. Ele também se sentou no local onde estava para comer o pão e tomar o vinho que lhe haviam sido dados. Assim descansado, retomou a jornada com a espada na mão.

— Não sei se outro inimigo surgirá — disse.

Mas ele não encontrou nenhum outro obstáculo colocado por Apoliom em todo o vale. Ora, no final desse vale, havia outro, chamado Vale da Sombra da Morte, e Cristão precisava atravessá-lo, uma vez que o caminho para a Cidade Celestial por lá passava. Esse vale era um local muito solitário. Assim o descreve o profeta

---

[106] A Árvore da Vida é a cruz. Por meio dela, a humanidade ascende de sua natureza inferior à iluminação espiritual. Imagens medievais de Cristo crucificado numa árvore, em vez de na cruz, remetem a esse simbolismo. A Árvore da Vida se contrapõe à Árvore do Conhecimento. Enquanto a última levou à expulsão do Homem do Paraíso, a primeira o leva de volta.

Jeremias: "Uma terra árida, e de covas, por uma terra de sequidão e sombra de morte, por uma terra pela qual ninguém transitava (exceto um cristão), e na qual não morava homem algum?"[107].

E ali Cristão enfrentou dificuldades piores que a luta contra Apoliom, como poderás constatar. Vi em meu sonho que quando Cristão chegou aos limites da Sombra da Morte, encontrou dois homens, filhos daqueles que fizeram um relato negativo sobre a boa terra[108], apressando-se para voltar. Cristão lhes perguntou:

— Aonde estão indo?

— Voltando! — responderam. — E te aconselhamos a fazer o mesmo, se prezas a vida ou a paz.

— Por quê? Qual é o problema? — quis saber Cristão.

— Problema! — exclamaram. — Estávamos indo pelo mesmo caminho que tu segues e fomos bem longe. Contudo, se houvéssemos prosseguido um pouco mais, não estaríamos aqui te contando isto.

— Mas, o que encontrastes? — insistiu Cristão.

— Havíamos quase chegado ao Vale da Sombra da Morte, mas olhamos adiante e vislumbramos o perigo antes de sermos surpreendidos por ele[109].

— Mas, o que vistes?

— O que vimos? Ora, o próprio vale, que é escuro como uma cova. Também vimos os espectros, sátiros e dragões do fosso. Também ouvimos gritos e uivos contínuos pairando sobre o vale, das pessoas que lá estão passando por sofrimentos inimagináveis,

---

[107] **Jeremias 2:6**: "E não disseram: Onde está o Senhor, que nos fez subir da terra do Egito, que nos guiou através do deserto, por uma terra árida, e de covas, por uma terra de sequidão e sombra de morte, por uma terra pela qual ninguém transitava, e na qual não morava homem algum?".

[108] **Números 13:32**: "E infamaram a terra que tinham espiado, dizendo aos filhos de Israel: A terra, pela qual passamos a espiá-la, é terra que consome os seus moradores; e todo o povo que vimos nela são homens de grande estatura".

[109] **Salmos 44:19**: "Ainda que nos quebrantaste num lugar de dragões, e nos cobriste com a sombra da morte".

acorrentadas por grilhões e aflições. E sobre esse vale, pairam ameaçadoras nuvens de confusão. A morte também abre suas asas sobre esse local. Numa palavra, tudo é medonho, sem nenhuma ordem[110].

— Não percebo perigo no que estais dizendo, mas este é o caminho que leva ao lugar aonde desejo ir.

— Que seja teu caminho — disseram. — Não o escolhemos como nosso.

E assim, separaram-se. Cristão prosseguiu, ainda com a espada na mão, caso fosse atacado. Em seguida, vi em meu sonho que à direita, em toda extensão do vale, havia um fosso muito profundo, para o qual os cegos têm sido guiados por outros cegos durante todas as eras e onde todos caem e perecem de modo terrível[111]. Do lado esquerdo, havia um pântano muito perigoso, sem fundo, no qual qualquer um que lá caía não encontrava apoio para os pés. Certa vez, o rei Davi caiu nesse pântano, e teria perecido se Ele que Tudo Pode não o houvesse puxado para fora.

A estrada que cortava o vale era estreitíssima, e mais que nunca Cristão prestou atenção no caminho, pois, na escuridão, quando evitava o fosso de um lado, quase caía no lamaçal sem fundo. Do mesmo modo, quando se esquivava do pântano, precisava ter extremo cuidado para não se precipitar no fosso. E assim ele prosseguiu, e pude ouvi-lo suspirar com amargor, porque, além dos perigos que mencionei, a trilha era tão escura que quando erguia seu pé, não sabia onde o colocaria a seguir.

---

[110] **Jó 3:5**: "Contaminem-no as trevas e a sombra da morte; habitem sobre ele nuvens; a escuridão do dia o espante!"; **Jó 10:22**: "Terra escuríssima, como a própria escuridão, terra da sombra da morte e sem ordem alguma, e onde a luz é como a escuridão".

[111] **Salmos 69:14-15**: "Tira-me do lamaçal, e não me deixes atolar; seja eu livre dos que me odeiam, e das profundezas das águas. Não me leve a corrente das águas, e não me absorva ao profundo, nem o poço cerre a sua boca sobre mim".

Pobre homem! Onde está agora? A noite encobriu o dia.
Bom homem, não te percas, embora na trilha certa, ninguém negaria,
Teu caminho para o céu é ladeado pelos portões do inferno.
Anima-te, aguenta, que contigo estarei e a ti governo.

Perto da metade do vale, percebi a boca do inferno também ladeando o caminho. "E agora?", pensou Cristão. "Que devo fazer?" Chamas e fumaça escapavam em grande quantidade, com faíscas e sons tenebrosos (coisas contra as quais a espada de Cristão nada podia, ao contrário do que sucedera na luta contra Apoliom), de modo que ele embainhou a espada e recorreu a outra arma, chamada Toda Oração[112]. E eu o ouvi clamar:

— "Então, invoquei o nome do Senhor, dizendo: Ó Senhor, livra a minha alma!"[113]

Assim ele prosseguiu, apesar de as chamas o alcançarem. Ele também ouviu vozes lúgubres à frente e atrás, de modo que por vezes pensou que seria feito em pedaços, ou esmagado como lama sob os pés. A visão aterradora e os sons pavorosos prosseguiram por muitos quilômetros. Em determinado lugar, pensou ouvir um bando de demônios indo em sua direção, e, por isso, parou e refletiu sobre o que deveria fazer. Por um momento, pensou em retornar. Mas lembrou que já estava na metade do caminho que cruzava o vale. Também refletiu sobre os muitos perigos que havia vencido e ponderou que o risco de voltar poderia ser maior que o de continuar. Assim, resolveu prosseguir, apesar de os demônios parecerem estar cada vez mais próximos. No entanto, quando eles estavam para alcançar Cristão, ele gritou com uma voz enérgica:

— Eu caminho na força do Senhor Deus!

Ouvindo isso, os demônios pararam e não ousaram se aproximar novamente.

Não posso deixar passar um fato: percebi que o pobre Cristão estava tão confuso que não reconhecia sua própria voz. Foi assim que notei isso: quando ele estava passando sobre a boca da cova

---

[112] **Efésios 6:18**: "Orando em todo o tempo com toda a oração e súplica no Espírito, e vigiando nisto com toda a perseverança e súplica por todos os santos".

[113] **Salmos 116:4**.

O Peregrino

incandescente, um dos demônios se aproximou sorrateiramente dele por trás e aos sussurros lhe sugeriu blasfêmias terríveis, que ele achou que provinham de sua própria mente. Isso perturbou Cristão mais que tudo que encontrara e enfrentara até aquele momento, a ponto de pensar que deveria blasfemar contra Ele que tanto amava. Se, porém, pudesse evitar, não o faria. Contudo, não teve a sensatez de tapar os ouvidos, ou de ver de onde provinham aquelas blasfêmias.

Depois de Cristão prosseguir nessa condição angustiante durante tempo considerável, achou ter ouvido a voz de um homem à sua frente, dizendo:

— Ainda que eu andasse pelo Vale da Sombra da Morte, não temeria mal algum, porque tu estás comigo.[114]

Ao ouvir isso, Cristão alegrou-se, e o fez por três motivos:

Primeiro, porque deduziu que, além dele, outro temente de Deus estava naquele vale. Segundo, porque percebeu que Deus estava com ele, embora estivesse na escuridão e num estado desalentador. "E por que não estaria comigo?", pensou. "Por conta dos impedimentos que existem neste lugar, não consigo percebê-Lo"[115]. Terceiro, porque esperava, se pudesse alcançá-lo, tê-lo como companhia durante a viagem. Desse modo, prosseguiu, chamando a pessoa à sua frente, mas esta não sabia o que responder, porque também julgava estar sozinha. Assim, raiou o dia, e Cristão falou:

— Ele tornou a sombra da noite em manhã[116].

Já à luz do dia, ele olhou para trás, não porque quisesse voltar, mas para ver os perigos pelos quais passara na escuridão. Viu

---

[114] **Salmo. 23:4:** "Ainda que eu andasse pelo vale da sombra da morte, não temeria mal algum, porque tu estás comigo; a tua vara e o teu cajado me consolam".

[115] **Jó 9:11:** "Eis que ele passa por diante de mim, e não o vejo; e torna a passar perante mim, e não o sinto".

[116] **Amós 5:8:** "Procurai o que faz o sete-estrêlo e o órion e torna a sombra da noite em manhã, e faz escurecer o dia como a noite, que chama as águas do mar, e as derrama sobre a terra; o Senhor é o seu nome".

claramente o fosso de um lado da estrada e o lodaçal sem fundo do outro. E também reparou o quão estreito era o caminho. Viu, igualmente, os espectros, sátiros e dragões do fosso, na distância, porém (pois, após o raiar do dia, eles não se aproximavam). Entretanto, revelaram-se a ele, conforme está escrito: "Das trevas descobre coisas profundas, e traz à luz a sombra da morte"[117].

Cristão ficou muito contente por ter superado todos os perigos de seu caminho solitário, os quais, embora houvesse temido antes, agora via com clareza, pois a luz do dia os deixava evidentes. Àquela altura, o Sol já se erguia, e isso foi outra bênção para Cristão, pois, apesar de a primeira parte da senda através do Vale da Sombra da Morte ser perigosa, o segundo trecho, pelo qual ainda teria que viajar, era — como se isso fosse possível — bem mais perigoso. É que do local onde estava até o final do vale, havia, de um lado, tantas armadilhas, arapucas, redes, e de outro, fossos, fendas, buracos profundos e precipícios, que se estivesse escuro como estava na primeira parte do caminho e ele tivesse mil almas, seriam todas perdidas. Contudo, como acabo de dizer, o Sol estava se erguendo. E Cristão falou:

— Fazia resplandecer a sua lâmpada sobre a minha cabeça e quando eu pela sua luz caminhava pelas trevas[118].

E assim, sob essa luz, Cristão chegou ao final do vale. Vi em meu sonho que esse local estava repleto de sangue, ossos, cinzas e corpos mutilados de homens e até mesmo de peregrinos que por ali haviam passado. Enquanto eu meditava sobre qual teria sido a causa daquilo, vi um pouco adiante de mim uma caverna, onde dois gigantes, Papa e Pagão, haviam vivido outrora. Com sua tirania e poder, mataram cruelmente os homens cujo sangue, ossos e cinzas lá jaziam. Apesar disso, Cristão passou por ali sem muito perigo.

---

[117] Jó 12:22.
[118] Jó 29:3.

O Peregrino

É que, segundo eu soube, o gigante Pagão já havia morrido fazia tempo. Quanto ao outro, embora ainda estivesse vivo, por conta da idade e dos muitos conflitos árduos que enfrentara na juventude havia enlouquecido e suas juntas enrijecido. Agora, fica sentado à entrada da caverna, rindo dos peregrinos que passam e roendo as unhas porque não consegue pegá-los.

Assim, vi que, ao ver o velho sentado à entrada da caverna, Cristão não soube o que fazer, porque este, mesmo sem conseguir persegui-lo, falou:

— Só aprendereis quando outros mais forem queimados.

Mas Cristão continuou e passou intacto pelo Velho. E cantou:

> — Ah, mundo maravilhoso! Nada menos posso dizer
> Por ter sido poupado do infortúnio e viver,
> Livrando-me do que aqui encontrei! Ah, abençoada seja
> A mão que desses males me salvou — meu ser a corteja.
> Perigos na escuridão, demônios, inferno e pecado
> Me atormentaram, enquanto a saída daqui eu havia buscado;
> Ciladas, fossos, armadilhas e redes espalhadas
> Em meu caminho, e eu, tolo, não fosse pelas preces invocadas,
> Teria em todas caído, amarrado e abatido;
> Mas eu sobrevivi, pois por Jesus fui redimido.

Cristão prosseguiu, e o caminho o levou a um pequeno aclive, ali erguido para que os peregrinos pudessem ver a estrada adiante. Dessa maneira, Cristão foi para lá e avistou Fiel diante dele, seguindo sua jornada. Cristão, então, gritou:

— Ei, ei, espera um pouco para que possamos viajar juntos!

Ao ouvir isso, Fiel olhou para trás. Cristão tornou a chamar:

— Espera, espera para que eu possa te alcançar!

— Não! — respondeu Fiel. — Estou tentando salvar minha vida, e o vingador do sangue me persegue.

Isso tocou Cristão de certo modo, e ele se pôs a caminho com toda pressa, rapidamente alcançando e ultrapassando Fiel, de forma que o último se tornou o primeiro. Cristão deu um sorriso de vanglória por ter passado seu irmão e estar à frente. Contudo, distraído de seu caminhar, de súbito tropeçou e caiu, e não conseguiu se levantar até que Fiel chegou para ajudá-lo.

Então, vi em meu sonho que continuaram juntos a jornada, envoltos em amor fraternal, conversando com amabilidade sobre as coisas que lhes aconteceram durante a peregrinação.

— Meu honrado e caro irmão — começou Cristão —, estou feliz por haver-te alcançado e porque Deus preparou nossos espíritos para que pudéssemos ser companheiros de viagem neste caminho tão agradável.

— Eu desejava, prezado amigo, ter viajado contigo desde nossa cidade, mas saíste primeiro, e eu tive que fazer todo o trajeto até aqui sozinho.

— Quanto tempo ficaste na Cidade da Destruição até vir atrás de mim em tua peregrinação?

— Até não conseguir ficar mais — respondeu Fiel —, porque, depois da tua partida, espalhou-se o rumor de que em pouco tempo nossa cidade seria destruída pelo fogo do céu.

— O quê? Teus vizinhos disseram isso?

— Sim. Todos falaram sobre isso durante algum tempo.

— Qual! E ninguém mais além de ti fugiu do perigo? — indagou Cristão.

— Embora, como eu disse, as pessoas tenham falado muito sobre isso, não acho que acreditaram realmente que aconteceria. Ouvi, no calor da discussão, alguns escarnecendo de ti e da tua jornada desesperada (aliás, foi assim que chamaram tua peregrinação). Eu, porém, acreditei, e ainda acredito, que o final da nossa cidade será por meio de fogo e de enxofre provindos do céu. Por isso, fugi.

O Peregrino

— Tiveste notícias de meu vizinho Inconstante?

— Sim, Cristão, ouvi dizer que ele te havia seguido até o Pântano do Desespero, onde, conforme algumas pessoas contaram, caiu. Mas o próprio Inconstante não admite isso, embora tenha voltado todo sujo de lama.

— E o que os vizinhos lhe disseram? — indagou Cristão.

— Desde que voltou, tem sido tratado com grande desdém por toda a gente — disse Fiel. — Alguns zombam dele e o desprezam. Poucos lhe oferecem trabalho. Está, agora, sete vezes pior que quando saiu da cidade.

— Mas, por que estão tão contrários a ele se também desprezam o caminho que Inconstante abandonou?

— Ah, disseram eles, enforquem-no, ele é um vira-casaca! Não foi fiel à sua profissão. Acho que Deus incitou seus inimigos contra ele e fez dele um exemplo por ter abandonado o caminho[119].

— Não falaste com ele antes de partir? — quis saber Cristão.

— Eu o vi uma vez na rua, mas ele virou para o lado oposto ao meu, como se estivesse envergonhado pelo que fizera. Por isso, não conversei com ele.

— Quando parti, tive fé nesse homem, mas, agora, receio que perecerá durante a destruição da cidade, pois aconteceu com ele o que diz o provérbio: "O cão voltou ao seu próprio vômito, e a porca lavada ao espojadouro de lama"[120].

— Temo o mesmo por ele — concordou Fiel. — Mas quem pode impedir aquilo que será?

---

[119] **Jeremias 29:18-19**: "E persegui-los-ei com a espada, com a fome, e com a peste; e dá-los-ei para deslocarem-se por todos os reinos da terra, para serem uma maldição, e um espanto, e um assobio, e um opróbrio entre todas as nações para onde os tiver lançado. Porquanto não deram ouvidos às minhas palavras, diz o Senhor, mandando-lhes eu os meus servos, os profetas, madrugando e enviando; mas vós não escutastes, diz o Senhor".

[120] **2 Pedro 2:22** "Deste modo sobreveio-lhes o que por um verdadeiro provérbio se diz: O cão voltou ao seu próprio vômito, e a porca lavada ao espojadouro de lama".

— Bem, vizinho Fiel, vamos deixá-lo e falar de coisas que nos preocupam mais neste momento — sugeriu Cristão. — Dize-me o que encontraste no caminho, pois sei que o fizeste; do contrário, teria sido incrível.

— Evitei o pântano porque percebi que havias caído nele e cheguei à porta sem maiores perigos. Apenas encontrei uma pessoa, cujo nome era Libertina, que quis me prejudicar.

— Quem bom que escapaste da sua rede — disse Cristão. — José foi tentado por ela, mas escapou como tu. Isso, porém, quase lhe custou a vida[121]. Mas o que te fez ela?

— Não podes imaginar, a não ser que já tenhas passado por isso. Que língua sedutora ela tem. Tentou me convencer a acompanhá-la, prometendo-me todo tipo de satisfação.

— Mas ela não te ofereceu a satisfação de uma boa consciência — observou Cristão.

— Sabes o que quero dizer: todas as satisfações carnais.

— Graças a Deus escapaste: "Aquele contra quem o Senhor se irar, cairá na sua fossa"[122].

— Não sei se escapei completamente.

— Por quê? Achei que não havias cedido aos desejos dela — falou Cristão.

— Não, não me desonrei — afirmou Fiel. — Lembrei-me de um antigo escrito que eu havia visto, que diz: "Os seus passos estão impregnados do inferno"[123]. Assim, fechei os olhos para não

---

[121] **Genesis 39:11-13**: "Sucedeu num certo dia que ele veio à casa para fazer seu serviço; e nenhum dos da casa estava ali; E ela lhe pegou pela sua roupa, dizendo: Deita-te comigo. E ele deixou a sua roupa na mão dela, e fugiu, e saiu para fora. E aconteceu que, vendo ela que deixara a sua roupa em sua mão, e fugira para fora"...

[122] **Provérbios 22:14** "Cova profunda é a boca das mulheres estranhas; aquele contra quem o Senhor se irar, cairá nela."

[123] **Provérbios 5:5**: "Os seus pés descem para a morte; os seus passos estão impregnados do inferno".

ser enfeitiçado por sua beleza[124]. Então, ela me insultou, e eu segui meu caminho.

— E não sofreste nenhum outro ataque?

— Quando cheguei ao sopé da colina chamada Dificuldade, encontrei um senhor muito idoso que me perguntou quem eu era e aonde ia. Contei-lhe que era um peregrino em viagem à Cidade Celestial. O ancião indagou em seguida: "Pareces uma pessoa honesta. Gostarias de morar em minha casa por um salário?". Perguntei seu nome, e ele me respondeu que era Adão, o primeiro homem, e que vivia na Cidade do Engano[125]. Inquiri sobre seu ofício e qual seria o salário que me pagaria. Disse que o trabalho que realizava era prazeroso, e que como pagamento faria de mim seu herdeiro. Interpelei-o sobre sua casa e sobre os servos que lhe atendiam. Falou que sua casa era abastecida com as melhores iguarias do mundo, e que seus servos eram de sua própria concepção. Indaguei se tinha filhos, e ele admitiu ter três filhas: "Luxúria da Carne, Luxúria dos Olhos e Orgulho da Vida, e poderás casar-te com as três, se quiseres"[126]. Perguntei por quanto tempo queria que eu morasse com ele, e me respondeu que pelo tempo que ele vivesse.

— Bem, por fim, a que conclusão chegaram tu e o ancião? — quis saber Cristão.

— Ora, primeiro me senti um tanto inclinado a aceitar o convite, pois achei que ele dizia a verdade; mas, ao olhar sua fronte enquanto eu falava com ele, vi escrito, "despe o velho homem com os seus feitos"[127].

---

[124] **Jó 31:1**: "Fiz aliança com os meus olhos; como, pois, os fixaria numa virgem?".

[125] **Efésios 4:22**: "Que, quanto ao trato passado, vos despojeis do velho homem, que se corrompe pelas concupiscências do engano".

[126] **1 João 2:16**: "E disse aos que vendiam pombos: Tirai daqui estes, e não façais da casa de meu Pai casa de venda".

[127] **Colossenses 3:9**: "Não mintais uns aos outros, pois que já vos despistes do velho homem com os seus feitos".

— E então? — apressou Cristão.

— Então, uma certeza flamejou em minha mente: não importa o que ele diga e o quanto me lisonjeie, quando chegar à sua casa, vender-me-á como escravo. Assim, pedi que se abstivesse de falar, pois eu não chegaria nem perto da sua morada. Ao ouvir minha resposta, insultou-me e disse que mandaria alguém atrás de mim para encher meu caminho de dificuldades. Virei-me para me afastar dele, mas, assim que comecei a andar, senti que me agarrou a carne e deu um tal puxão que achei que havia arrancado uma parte de mim. Isso me fez exclamar: "Oh, homem miserável!"[128]. Desse modo, continuei a subir a colina.

— Quando estava na metade do caminho — prosseguiu Fiel —, olhei para trás e vi alguém em meu encalço, rápido como o vento. Assim, ele me alcançou quando cheguei ao lugar onde fica a pérgula.

— Eu parei lá para descansar — interrompeu Cristão —, mas adormeci e perdi o pergaminho que levava junto ao peito sob as vestes.

— Sim, meu bom irmão, mas ouve-me — continuou Fiel. — Logo que o homem me alcançou, golpeou-me e me deixou caído como morto. Quando me recobrei um pouco, perguntei-lhe por que havia feito aquilo. Ele respondeu que era por conta da inclinação secreta que tive por Adão, o Primeiro. Dito isso, desferiu outro golpe mortal no peito e, em seguida, derrubou-me, por isso fiquei caído a seus pés, como se estivesse morto, como antes. Quando voltei a mim de novo, pedi misericórdia, mas ele disse que não tinha como demonstrar piedade, e desferiu outro golpe que me derrubou. Com certeza ele teria dado cabo de mim, mas alguém surgiu e ordenou-lhe que parasse.

— Quem é esse que interrompeu o ataque? — quis saber Cristão.

---

[128] **Romanos 7:24:** "Miserável homem que eu sou! Quem me livrará do corpo desta morte?".

— De início, eu não o reconheci. Mas então, percebi os ferimentos nas suas mãos e no seu flanco e concluí que era o nosso Senhor. Dessa forma, subi a colina.

— Aquele homem era Moisés — explicou Cristão. — Ele não poupa ninguém; tampouco sabe demonstrar piedade àqueles que transgridem sua lei.

— Sei bem disso — admitiu Fiel. — Não foi a primeira vez que o encontrei. Ele foi até mim quando eu vivia seguro em meu lar e me disse que queimaria minha casa se eu lá permanecesse.

— Mas não viste a casa no alto da colina, no lado onde encontraste Moisés?

— Sim, e também os leões que guardavam o caminho. Achei, porém, que os leões estavam adormecidos, pois era quase meio-dia. E como ainda faltava muito para o anoitecer, passei pelo porteiro e continuei descendo a colina.

— De fato, ele me disse que te viu passando, mas teria sido bom se houvesses batido na casa, pois seus moradores teriam mostrado tantas preciosidades que te lembrarias delas até o dia da tua morte. Mas, conta-me: não encontraste ninguém no Vale da Humildade?

— Sim, encontrei Descontente — respondeu Fiel —, que tentou me persuadir a voltar com ele, afirmando que não havia honra naquele vale. Também disse que, se eu continuasse, estaria desobedecendo a ele e a seus amigos, Orgulho, Arrogância, Presunção, Glória Mundana e outros que ele sabia que se ofenderiam demais caso eu fosse tolo o bastante para cruzar aquele vale.

— E o que lhe respondeste? — quis saber Cristão.

— Eu lhe disse que embora as pessoas que ele mencionou pudessem afirmar ter parentesco comigo e estivessem certas quanto à minha ligação com a carne, desde que me tornei peregrino elas me desertaram, pois eu também passei a rejeitá-las. Por isso, elas nada mais representam para mim, como se nunca houvessem pertencido à minha linhagem.

— Também falei — continuou Fiel — que ele estava menosprezando o vale, porque a humildade vem antes da honra, assim como um espírito arrogante antecede a queda[129]. Desse modo, disse eu que preferia cruzar esse vale para atingir a honra prometida pelo mais sábio que escolher aquilo que esse Descontente alegava ser mais digno de nossos afetos.

— E não encontraste nada mais no vale? — perguntou Cristão.

— Sim, encontrei Vergonha — confirmou Fiel. — Mas de todos com que me deparei em minha peregrinação, ela é a única que tem o nome errado. Com os outros, pude contra-argumentar e debater. Essa Vergonha, porém, era muito cínica e não se continha.

— Por quê? O que ela te disse?

— Ora, ela argumentou contra a própria religião — explicou Fiel. — Disse que se ocupar com religião era algo lamentável, vil e desprezível para o homem. Disse que uma consciência sensível era para efeminados, e que vigiar as palavras e os modos para se afastar da intimadora liberdade com a qual os espíritos corajosos de todas as épocas estão acostumados não merece nada além do escárnio. Também observou que apenas uns poucos homens poderosos, ricos ou sábios concordariam comigo[130]. Tampouco qualquer um deles seria persuadido como um tolo a voluntariamente aventurar-se a perder tudo em troca de sabe-se lá o quê[131]. Além disso, criticou o mau estado e a condição precária dos peregrinos que

---

[129] **Provérbios 16:18**: "A soberba precede a ruína, e a altivez do espírito precede a queda; **Provérbios 18:12**: "Antes da ruína eleva-se o coração do homem; e adiante da honra vai a humildade".

[130] **Filipenses 3:7-8**: "Mas o que para mim era ganho reputei-o perda por Cristo. E, na verdade, tenho também por perda todas as coisas, pela excelência do conhecimento de Cristo Jesus, meu Senhor; pelo qual sofri a perda de todas estas coisas, e as considero como escória, para que possa ganhar a Cristo".

[131] **João 7:48**: "Creu nele porventura algum dos principais ou dos fariseus?".

O Peregrino

conhecia, bem como sua ignorância e repulsa por compreender a época em que vivem e a ciência natural[132]. Sim, e me disse muitas outras coisas mais, como o quanto era vergonhoso lamentar-se e lamuriar-se ao ouvir um sermão e como era embaraçoso chegar em casa suspirando e gemendo. Observou, ainda, como era indigno pedir perdão a meu vizinho pelas minhas faltas restituir aquilo que lhe tomei. Também disse que a religião afasta o homem dos nobres, por conta de uns poucos vícios, os quais são chamados por nomes amenos, e o faz respeitar os desprezíveis porque pertencem à mesma fraternidade religiosa. "E isso não é vergonhoso?", perguntou por fim.

— E o que lhe disseste? — inquiriu Cristão.

— Não soube o que responder de pronto — admitiu Fiel. — Sim, ela me afetou de tal modo que o sangue me subiu ao rosto. Essa Vergonha quase me dominou, mas, então, me ocorreu que aquilo que "entre os homens é elevado, perante Deus é abominação"[133]. Ponderei que Vergonha falara sobre os homens, mas não me dissera nada sobre Deus ou sobre o Mundo de Deus. Pensei, além disso, que no dia do Juízo não seremos condenados à morte ou à vida de acordo com os espíritos terríveis deste mundo, mas conforme e sabedoria e a lei do Altíssimo. Refleti, enfim, que o que Deus diz é o melhor, de fato o melhor, embora todos os homens do mundo sejam contrários. Vendo que Deus prefere a religião, a consciência tranquila, que aqueles que se fazem de tolos pelo reino dos céus são os mais sábios e que o pobre que ama a Cristo é muito

---

[132] O século XVII, em cujo quarto final Bunyan escreveu O Peregrino, marca o nascimento da ciência positiva, como a conhecemos, com base nos trabalhos de Copérnico, Galileu, Kepler e Newton, que com suas descobertas e metodologias propuseram uma visão de mundo diferente da bíblica, e, com isso, suscitaram um grande debate na época.

[133] Lucas 16:15: "E disse-lhes: Vós sois os que vos justificais a vós mesmos diante dos homens, mas Deus conhece os vossos corações, porque o que entre os homens é elevado, perante Deus é abominação".

mais rico que o homem mais poderoso do mundo que O odeia, eu disse a ela: "Vai embora, Vergonha! Tu és inimiga da minha salvação! Devo dar-te ouvidos em lugar de escutar meu Senhor soberano? Como poderei olhar em Seus olhos quando Ele vier? Como poderei esperar que Ele me abençoe se eu me envergonho dos Seus modos e dos Seus servos"[134].

— Mas essa Vergonha era uma matreira ousada — prosseguiu Fiel. — Quase não consegui evitar sua companhia. Continuou a me assombrar, sussurrando em meus ouvidos uma ou outra fraqueza que acometem a religião. Eu lhe disse, então, que sua tentativa de continuar com aquilo era vã, pois nas coisas que ela desdenhava eu via a maior glória. E quando me livrei dela, comecei a cantar assim:

— As provações que enfrenta o homem leal,
Que é obediente ao chamado celestial,
São muitas, e todas à carne adequadas;
E ressurgem, ressurgem sempre renovadas.
Tanto que agora ou n'outra hora podemos ser
Por elas tomados, vencidos, levados a nos perder.
Ah, que os peregrinos, que os peregrinos, então,
Sejam vigilantes e a si renunciem, bravos que são.

— Fico feliz, meu irmão. Que enfrentaste essa velhaca com tanta coragem! — disse Cristão. — Por tudo o que me contaste, acho que seu nome não condiz com ela, pois é audaciosa a ponto de nos seguir pelas ruas e tentar nos envergonhar diante de todos, isto é, de nos fazer ter vergonha do que é bom. Mas se ela não fosse audaciosa, não faria o que tenta fazer. Vamos, porém, resistir a ela, porque, apesar das suas bravatas, só afeta os loucos e a ninguém

---

[134] Marcos 8:38.

O PEREGRINO

mais. "Os sábios herdarão a honra, mas os loucos tomam sobre si vergonha."[135]

— Acho que devemos clamar por ajuda contra Vergonha a Ele, que quer que lutemos pela verdade na Terra — ponderou Fiel.

— O que dizes é verdade — concordou Cristão. — Mas não enconstraste mais ninguém no vale?

— Não, não encontrei. Havia sol por todo o caminho através do vale e também por todo o percurso do Vale da Sombra da Morte.

— Que bom para ti — comentou Cristão. — Comigo foi diferente. Logo que entrei naquele vale, travei combate com o demônio Apoliom. Achei que me mataria, especialmente quando me derrubou e quase me fez em pedaços, pois, quando caí, minha espada me escapou da mão. O demônio disse que havia me vencido, mas apelei a Deus, e Ele me ouviu e me livrou de todas as minhas dificuldades. Então, entrei no Vale da Sombra da Morte e percorri quase a metade do caminho na escuridão. Diversas vezes achei que morreria naquele lugar, mas por fim o dia raiou e o Sol se ergueu, e pude continuar com mais facilidade e tranquilidade.

Vi, então, em meu sonho, que enquanto caminhavam, Fiel, ao olhar para um lado, viu um homem cujo nome era Tagarela, caminhando a certa distância, ao lado deles, pois esse trecho da estrada era largo o bastante para os viajantes andarem lado a lado. Era um homem alto, e sua aparência era melhor na distância que de perto. Fiel assim se dirigiu a ele:

— Para onde estás indo, amigo? Vais à Cidade Celestial?

— Sim, vou para lá — respondeu Tagarela.

— Que bom! Espero que possamos contar com tua companhia.

— Com muito boa vontade vos acompanharei.

— Vamos, então — enfatizou Fiel. — E passemos nosso tempo conversando sobre coisas proveitosas.

---

[135] Provérbios 3:35.

— Gosto muito de falar de coisas boas, convosco ou com quaisquer outros, e fico feliz de ter encontrado alguém inclinado a praticar essa boa ocupação — disse Tagarela. — Para falar a verdade, há poucas pessoas que se preocupam em passar seu tempo desse modo (pois estão viajando), mas escolhem falar sobre coisas que não trazem proveito. E isso tem sido um grande problema para mim.

— Isso é, de fato, algo a ser lamentado — concordou Fiel. — Que coisas dignas há na Terra para se usar a língua e a boca como as coisas do Deus do céu!

— Gosto do que dizes, pois falas com muita convicção — disse Tagarela. — E direi mais: o que há de mais agradável e de mais proveitoso do que falar sobre as coisas de Deus? Há algo tão agradável (caso derive prazer de coisas maravilhosas)? Por exemplo, se alguém realmente se deleita em conversar sobre a história do mistério das coisas, ou se ama falar sobre os milagres, prodígios ou sinais, onde mais encontrará isso tudo registrado de modo tão delicioso e escrito de forma tão suave a não ser na Santa Escritura?

— É verdade — consentiu Fiel —, e desejar tirar proveito dessas coisas em nossa conversa é justamente o que queremos.

— É o que digo — afirmou Tagarela —, pois falar de tais coisas é o mais proveitoso, porque, ao fazer isso, podemos vir a conhecer muito, como a futilidade das coisas terrenas e o benefício das coisas que estão acima. Assim, em geral, mas mais especificamente por meio disso, podemos aprender sobre a necessidade do novo nascimento, sobre a insuficiência das nossas obras, a indispensabilidade da retidão de Cristo. Além disso, conversando, podemos compreender o que é arrepender-se, crer, orar, sofrer, ou outras coisas. Também se toma conhecimento das grandes promessas e consolos do Evangelho, para seu próprio conforto. Por fim, desse modo, aprendemos a recusar opiniões falsas, a buscar a verdade e a instruir aquele que ignora.

O Peregrino

— Tudo isso é verdade e fico feliz de ouvir essas coisas de ti — disse Fiel.

— Ai de mim! Esse é o motivo pelo qual tão poucos compreendem a necessidade da fé e da obra da graça em sua alma para se obter a vida eterna, e muitos se fiam pela obra da lei, por meio da qual não se consegue alcançar o reino do céu — reconheceu Tagarela.

— Mas, se me permites, o conhecimento celestial é um dom de Deus. Nenhum homem consegue obtê-lo por meio da indústria humana, ou apenas por falar sobre ele — observou Fiel.

— Sei muito bem disso — admitiu Tagarela —, pois ninguém recebe nada que não lhe seja dado pelo céu. É uma questão de graça, não de obra. Eu poderia citar cem escrituras para confirmar isso.

— Bem, então, sobre o que poderíamos conversar? — perguntou Fiel.

— Sobre o que quiserdes — disse Tagarela. — Falemos de coisas celestiais, ou de coisas mundanas, ou sobre a moral, ou sobre coisas evangélicas, coisas sagradas ou profanas, coisas passadas ou futuras, coisas estranhas ou coisas familiares, coisas mais essenciais e coisas circunstanciais, desde que falemos para nosso próprio proveito.

Fiel começou a pensar, e aproximando-se de Cristão (pois este havia continuado sozinho), falou-lhe (mas com suavidade):

— Que companheiro admirável conseguimos! Com certeza esse homem é um excelente peregrino.

Cristão sorriu com modéstia e disse:

— Esse homem, de quem tanto gostaste, é capaz de seduzir com sua fala vinte pessoas que não o conheçam.

— Tu o conheces, então?

— Se o conheço! Sim, melhor do que ele conhece a si mesmo.

— Quem é ele?

— Seu nome é Tagarela e ele mora na nossa cidade — contou Cristão. — Achei que o conhecesses, mas nosso burgo é grande.

— De quem ele é filho e onde mora? — indagou Fiel.

— É filho de certo Falar Bem, que mora na rua da Verborreia. E, apesar da sua fala elegante, é um sujeito infeliz.

— A mim parece um homem muito distinto — objetou Fiel.

— Pode ser, mas para aqueles que não o conhecem bem — disse Cristão. — Ele é melhor longe, porque em casa é bem desagradável. Disseste que te pareceu um homem distinto, porém, ele me lembra a obra de um pintor cujos quadros parecem melhores de longe, mas que de perto são feios.

— Mas acho que estás brincando, pois deste um sorriso — duvidou Fiel.

— Apesar de eu ter rido, Deus me proíba de brincar com um assunto desses ou de levantar falso testemunho contra alguém! Vou contar um pouco mais sobre ele. Esse homem gosta de qualquer companhia e qualquer conversa. Do mesmo modo como fala contigo agora, ele confabula nas tabernas. E quanto mais bebida tiver na cabeça, mais dirá coisas tolas. Ele não tem lugar para a religião nem em seu coração e nem em seu lar, nem tampouco em suas conversas. Tudo que tem é sua fala, e sua religião é fazer barulho com ela.

— Se é assim, eu me enganei demais sobre esse homem.

— Podes ter certeza de que te enganaste — afirmou Cristão. — Recorda o provérbio: "Dizem, mas não fazem"[136]. Entretanto, o reino de Deus não está na palavra, mas no poder[137]. Ele fala de oração, de arrependimento, de fé e do novo nascimento, mas só sabe falar sobre essas coisas. Eu conheço sua família e já o observei tanto em casa como na rua, e sei que o que falo sobre ele é a verdade. Sua casa é tão desprovida de religião como a clara do ovo é destituída de sabor. E não havia oração nem sinal de

---

[136] **Mateus 23:3:** "Todas as coisas, pois, que vos disserem que observeis, observai-as e fazei-as; mas não procedais em conformidade com as suas obras, porque dizem e não fazem".

[137] **1 Coríntios 4:20:** "Além disso requer-se dos despenseiros que cada um se ache fiel".

arrependimento dos pecados. Sim, o homem rude é capaz de servir a Deus muito melhor que esse Tagarela. Ele é a mácula, a reprovação e a vergonha da religião para todos os que o conhecem. Dificilmente ouvirás um elogio a ele em toda a região da cidade onde mora[138]. As pessoas dizem que é um santo na rua e um diabo em casa. Sua pobre família acha isso. Ele é tão avarento, grosseiro e injusto com seus servos que nenhum deles sabe o que fazer ou lhe dizer. Aqueles que tratam com ele dizem que é melhor lidar com um turco[139], pois este seria mais justo. Esse Tagarela (se fosse possível) iria além deles, enganando, seduzindo e sobrepujando. Além do mais, cria seus filhos para que sigam seus passos. E se percebe em algum deles uma timidez (pois é assim que chama o surgimento de uma consciência tranquila), ele o chama de tolo e de imbecil e de modo algum lhe dá trabalho ou o recomenda a outros. Da minha parte, sou da opinião, por conta da sua vida perversa, que ele provocou a queda de muita gente, e se Deus não o impedir, arruinará muitos mais.

— Bem, meu irmão — disse Fiel —, estou inclinado a acreditar em ti e isso não se deve só ao fato de que o conheces, mas também porque tu, como cristão, fazes relatos sobre os homens. Não acredito que tenhas falado essas coisas de má-fé, mas sim porque são como dizes.

— Se, como tu, eu não o conhecesse, poderia tê-lo julgado à primeira vista como o julgaste — admitiu Cristão. — Sim, e se esse relato proviesse apenas dos inimigos da religião, eu o consideraria calúnia, como frequentemente fazem os maus com os nomes e as profissões dos bons. Contudo, posso provar que ele é culpado dessas coisas e de muitas mais sobre as quais tenho conhecimento.

---

[138] **Romanos 2:24-25:** "Porque, como está escrito, o nome de Deus é blasfemado entre os gentios por causa de vós. Porque a circuncisão é, na verdade, proveitosa, se tu guardares a lei; mas, se tu és transgressor da lei, a tua circuncisão se torna em incircuncisão".

[139] Isto é, com um muçulmano; infiel.

Além do mais, as pessoas boas se envergonham dele. Não podem chamá-lo nem de irmão, nem de amigo. O som de seu nome faz corar aqueles que o conhecem.

— Vejo que dizer e fazer são duas coisas diferentes, e agora vou observar melhor essa distinção.

— São, de fato, duas coisas tão distintas quanto a alma e o corpo, pois o corpo sem a alma nada é além de carcaça morta, assim como o falar vazio também é uma carcaça morta. A alma da religião é a parte prática: "A religião pura e imaculada para com Deus e Pai é esta: visitar os órfãos e as viúvas nas suas tribulações, e guardar-se da corrupção do mundo"[140]. Esse Tagarela não tem consciência disso. Ele acha que ouvir e falar bastam para se tornar um bom cristão, e, desse modo, engana a própria alma. Ouvir é apenas a semeadura. Falar não basta para colocar os frutos no coração e na vida. Devemos estar certos de que, no dia do julgamento, cada homem será sentenciado de acordo com seus frutos[141]. A pergunta não será "Tu acreditaste?", mas "Foste alguém que fez ou alguém que apenas falou?", e serão julgados de acordo com a resposta. O fim do mundo é comparável à nossa colheita, e os homens que colhem só consideram o fruto. Nada que não seja fé pode ser aceito, mas digo isso para mostrar o quão insignificante será a profissão do Tagarela nesse dia.

— Isso me lembra — observou Fiel — a descrição que Moisés faz do animal puro[142]. Puro é aquele que tem o casco fendido e que

---

[140] Tiago 1:27.

[141] Mateus 13:25: "Mas, dormindo os homens, veio o seu inimigo, e semeou joio no meio do trigo, e retirou-se".

[142] Levíticos 11:3-7: "Dentre os animais, todo o que tem unhas fendidas, e a fenda das unhas se divide em duas, e rumina, deles comereis. Destes, porém, não comereis; dos que ruminam ou dos que têm unhas fendidas; o camelo, que rumina, mas não tem unhas fendidas; esse vos será imundo; E o coelho, porque rumina, mas não tem as unhas fendidas; esse vos será imundo; E a lebre, porque rumina, mas não tem as unhas fendidas; essa vos será imunda. Também o porco, porque tem unhas fendidas, e a fenda das unhas se divide em duas, mas não rumina; este vos será imundo".

O Peregrino

rumina, e não aquele que apenas tem o casco fendido ou apenas rumina. A lebre rumina, mas é impura, pois não tem casco fendido. Tagarela lembra isso: ele busca conhecimento, rumina o mundo; porém, não tem o casco fendido, ele não se afasta dos pecadores. E, como a lebre, possui o pé semelhante ao do cão ou ao do urso e, por isso, é impuro.

— Mostraste, pelo que sei, o verdadeiro sentido evangélico desses textos — disse Cristão. — E direi mais uma coisa: Paulo chama alguns homens, sim, e também os grandes tagarelas, de "Trombetas Ressonantes" e "Címbalos Tilintantes", ou seja, conforme ele explica, coisas sem vida que produzem som[143]. Coisas sem vida, isto é, sem a verdadeira fé e graça dos Evangelhos, e, consequentemente, coisas que nunca terão lugar no reino do céu entre os filhos da vida, embora seu som, sua fala, possa se parecer com a língua ou a voz de um anjo.

— Bem, eu não havia gostado tanto da companhia dele, mas agora me causa repulsa — admitiu Fiel. — O que faremos para nos livrar dele?

— Ouve meu conselho e faze o que eu digo e logo ele também ficará cansado da tua companhia, a não ser que Deus toque seu coração e ele se transforme.

— O que queres que eu faça?

— Ora, vá até ele e começa a falar a sério sobre o poder da religião. Então, pergunta diretamente (depois que ele concordar, pois concordará) se essas coisas estão em seu coração, em sua casa ou em sua conversa.

---

[143] 1 Coríntios 13:1-3: "Ainda que eu falasse as línguas dos homens e dos anjos, e não tivesse amor, seria como o metal que soa ou como o sino que tine. E ainda que tivesse o dom de profecia, e conhecesse todos os mistérios e toda a ciência, e ainda que tivesse toda a fé, de maneira tal que transportasse os montes, e não tivesse amor, nada seria. E ainda que distribuísse toda a minha fortuna para sustento dos pobres, e ainda que entregasse o meu corpo para ser queimado, e não tivesse amor, nada disso me aproveitaria".

Fiel tornou a se aproximar de Tagarela e lhe disse:

— E então, como estão as coisas?

— Estão bem, obrigado — respondeu Tagarela. — Vamos aproveitar e retomar nossa conversa.

— Sim, retomemos. E como deixaste que eu coloque a pergunta, que seja esta: como a graça salvadora de Deus se revela quando está no coração do homem?

— Percebo que nossa conversa será sobre o poder das coisas — notou Tagarela. — Bem, é uma pergunta muito boa, e quero responder-lhe. Em resumo, eu digo que, primeiro, quando a graça de Deus está no coração, ela provoca um grande clamor contra o pecado. Segundo...

— Não, espera, vamos considerar um de cada vez — interrompeu Fiel. — Acho que deverias ter dito que ela se mostra ao levar a alma a abominar seu pecado.

— Ora, qual a diferença entre provocar um clamor contra o pecado ou aboliná-lo? — quis saber Tagarela.

— Há uma grande diferença — explicou Fiel. — O homem pode clamar contra o pecado, mas pode não o abominar, a não ser em virtude de uma antipatia piedosa contra ele. Já vi muita gente clamar contra o pecado do alto do púlpito, mas, ainda assim, abrigá-lo no coração, em sua casa e sua conversa. A senhora de José clamou em voz alta que era pura. No entanto, teria, apesar disso, cometido impureza com ele. Alguns clamam contra o pecado do mesmo modo como uma mãe ralha com sua filha no colo, quando a chama de levada ou de preguiçosa e, em seguida, a cobre de beijos.

— Percebo que queres me pegar no erro — comentou Tagarela.

— Não, não quero. Só estou colocando as coisas da forma correta. Mas qual é a segunda coisa por meio da qual podemos descobrir a obra da graça no coração?

— O grande conhecimento dos mistérios do Evangelho.

— Esse sinal deveria ter sido o primeiro, mas primeiro ou último, também é falso, porque conhecimento, o grande conhecimento, pode ser obtido nos mistérios do Evangelho, mas não a obra da graça na alma. Sim, mesmo que alguém tenha toda a sabedoria, pode não ser nada, e, consequentemente, não ser filho de Deus. Quando Jesus perguntou "Conheceis essas coisas todas?", e os discípulos responderam "sim", ele acrescentou: "Abençoados sereis se as praticardes"[144]. Ele não abençoa o conhecimento, mas a prática, pois há um conhecimento que não é acompanhado pela prática: aquele que conhece a vontade do seu mestre e não a realiza. Um homem pode ter o conhecimento de um anjo, e, mesmo assim, não ser cristão, portanto, seu sinal não é verdadeiro. De fato, o conhecimento é algo que agrada os falastrões e os enfatuados, mas a prática agrada a Deus. Não é que o coração possa ser bom sem conhecimento, pois sem ele o coração não é nada. Há, portanto, diferentes tipos de conhecimento. Conhecimento que repousa apenas na especulação; e há o conhecimento acompanhado da graça da fé e do amor, que fazem que a pessoa realize de coração a vontade de Deus. O primeiro tipo de conhecimento servirá ao falastrão; mas sem o outro, o verdadeiro cristão não se contenta. "Dá-me entendimento, e guardarei a tua lei, e observá-la-ei de todo o meu coração"[145].

— Mais uma vez queres me pegar no erro. Isso não é edificante — protestou Tagarela.

— Bem, então, podes citar outro sinal de como a obra da graça é descoberta no coração?

— Não posso, pois vejo que não concordaremos.

---

[144] **Mateus 13:51-52**: "E disse-lhes Jesus: Entendestes todas estas coisas? Disseram-lhe eles: Sim, Senhor. E ele disse-lhes: Por isso, todo o escriba instruído acerca do reino dos céus é semelhante a um pai de família, que tira do seu tesouro coisas novas e velhas".

[145] **Salmos 119:34**.

— Bem, se não vais responder, dá-me licença para falar sobre isso? — pediu Fiel.

— Sente-te livre para tanto.

— A obra da graça na alma é descoberta ou por aquele que a possui ou pelos que convivem com ela. Para aquele que a possui, ela se manifesta deste modo: ela lhe dá convicção do pecado, especialmente da impureza da sua natureza e do pecado de não crer (pelo qual ele será certamente condenado, caso não encontre misericórdia na mão de Deus, pela fé em Jesus Cristo[146]). A visão e a percepção das coisas o fazem sentir tristeza e vergonha do pecado. Ele descobre, além do mais, revelado pelo Salvador do Mundo, a absoluta necessidade de estar com Ele pelo resto da vida, onde sentirá sede e fome as quais fará promessas[147].

— Ora, sua paz e sua alegria estão de acordo com a força ou a fraqueza na fé do seu Salvador — prosseguiu Fiel —, assim como seu amor pela santidade e como seu desejo de conhecer mais e também de servi-Lo neste mundo. Embora eu diga que assim ele descobre a obra da graça em si, raramente se é capaz de concluir que isso seja, de fato, a obra da graça, pois a corrupção e a razão confundem a mente, não permitindo perceber. Desse modo, naquele que possui a obra da graça, requer-se um julgamento muito sólido antes de se poder concluir que aquilo em si é, realmente, a obra da graça. Para os outros, é assim a descoberta: primeiro por meio de uma confissão experimental da sua fé em Cristo[148]; segundo, por

---

[146] João 16:8: "E, quando ele vier, convencerá o mundo do pecado, e da justiça e do juízo".

[147] Atos 4:12: "E em nenhum outro há salvação, porque também debaixo do céu nenhum outro nome há, dado entre os homens, pelo qual devamos ser salvos". Mateus. 5:6: "Bem-aventurados os que têm fome e sede de justiça, porque eles serão fartos". Apocalipse 21:6: "E disse-me mais: Está cumprido. Eu sou o Alfa e o Ômega, o princípio e o fim. A quem quer que tiver sede, de graça lhe darei da fonte da água da vida".

[148] Romanos 10:10: "Pois é com o coração se crê para a justiça, e com a boca se faz confissão para a salvação".

meio de uma vida que corresponda a essa confissão. Levar uma vida santificada, de coração santificado, família santificada (se a pessoa tiver família) e por meio de uma conversa santificada no mundo, que, em geral, ensina interiormente e em segredo a abominar o pecado, a suprimir o pecado em sua família e a promover a santidade no mundo, e não apenas por palavras, como o falastrão ou o hipócrita o fazem, mas por meio de uma sujeição prática, na fé e no amor, ao poder do mundo[149]. E agora, se tiveres algo a objetar sobre essa breve descrição da obra de graça e também sobre sua descoberta, podes fazê-lo. Do contrário, permite-me propor uma segunda pergunta.

— Não, da minha parte, não farei objeção, mas apenas ouvirei — disse Tagarela. — Deixa-me, portanto, ouvir tua segunda pergunta.

— Ei-la: experimentaste essa primeira parte que descrevi? E tua vida e tua fala testemunham o mesmo? Ou tua teologia está na palavra ou na língua, e não na prática e na verdade? Peço, se desejares responder, que não digas mais do que souberes que Deus responderia, e também nada mais que aquilo que sua consciência possa justificar, pois não é aquele que comanda a si mesmo que é aprovado, mas aquele a quem o Senhor recomenda. Além disso, dizer que sou assim e assado, quando minha conversa e todos os meus vizinhos sabem que eu minto, é uma grande perversidade.

Ao ouvir isso, Tagarela corou, mas recuperou-se e respondeu assim:

— Agora falas de experiência, de consciência e de Deus, e de apelar a Ele em busca de justificativa do que é dito. Eu não esperava esse tipo de discurso, tampouco estou disposto a responder a essas perguntas, pois não me vejo inclinado a fazê-lo, a não ser que tenhas tomado para ti a função de catequizador, e mesmo que

---

[149] **João 14:15**: "Se me amais, guardai os meus mandamentos".

o sejas, eu me recuso a fazer de ti meu juiz. Mas, dize-me, por que me fazes essas perguntas?

— Porque julguei que estavas disposto a conversar e porque eu sabia que tinhas apenas uma noção sobre isso — respondeu Fiel. — Além do mais, para dizer a verdade, ouvi falar de ti, um homem cuja religião está em falar e que não age de acordo com o que fala.

— Dizem que tu és uma nódoa entre os cristãos — prosseguiu Fiel — e, que tua conversa ímpia prejudica a religião. Falam que algumas pessoas caíram em desgraça devido a teu comportamento perverso e que outros correm o risco de serem assim destruídos. A tua religião anda de mãos dadas com a taverna, a cobiça, a corrupção, o insulto, a mentira, as más companhias. O provérbio que diz que a prostituta é uma vergonha para todas as mulheres é verdadeiro também para ti, que envergonha todos os professores.

— Estás pronto a acreditar no que ouves e a julgar precipitadamente, por isso, concluo que só podes ser um homem rabugento e melancólico, que não se presta à conversação. Por isso, eu me despeço — disse Tagarela.

Nisso, Cristão se aproximou de Fiel e disse a seu irmão:

— Eu falei que isso aconteceria — observou Cristão. — Tuas palavras e as paixões dele não podem concordar. Ele prefere evitar tua companhia a mudar a vida. Mas ele se foi, como previ. Deixa-o ir. A perda não é de ninguém a não ser dele mesmo. Ele nos poupou do esforço de nos afastarmos dele, pois se continuasse (como acho que continua) a ser como é, teria sido uma nódoa para nossa companhia. É como diz o apóstolo: "Afasta-te de gente assim".

— Mesmo assim, estou feliz de lhe ter dito o que eu disse, porque pode ser que ele volte a refletir sobre isso — ponderou Fiel. — De qualquer modo, lidei com ele com franqueza, e, por isso, não sou culpado se ele perecer.

— Fizeste bem de falar francamente com ele — aprovou Cristão. — Hoje em dia, os homens não se tratam com lealdade, o que faz a religião cheirar mal nas narinas de muita gente, daqueles tolos falastrões que se dizem religiosos, mas cuja conversa é debochada e fútil. Isso (tendo sido admitido na companhia das pessoas pias) confunde o mundo, macula a cristandade e entristece o sincero. Eu gostaria que todos os homens fizessem como tu. Eles seriam mais afeitos à religião, ou a companhia dos santos seria demais para eles.

Então, Fiel recitou:

— Primeiro Tagarela se pavoneou!
E com que audácia falou!
Pensa que em todos é capaz de formar opinião;
Mas quando Fiel falou sobre a obra do coração,
Ele minguou como a lua que há muito se encheu,
Como acontece a todo aquele que a obra não reconheceu.

Os companheiros continuaram a conversar sobre o que haviam visto no caminho, o que tornou agradável uma viagem que, sem dúvida, teria sido entediante. Estavam passando por uma região selvagem. Quando estavam quase deixando essa área, Fiel olhou casualmente para trás e viu se aproximando alguém que pensou reconhecer.

— Ah, quem vem lá? — perguntou Fiel a irmão.

Cristão olhou para trás e disse:

— É meu bom amigo Evangelista.

— Sim! E também meu — exclamou Fiel. — Foi ele quem me indicou o caminho até a porta estreita.

Evangelista os alcançou e os saudou dizendo:

— Que a paz esteja convosco, amados, e também com os que vos auxiliam.

— Bem-vindo, bem-vindo, meu bom Evangelista — cumprimentou Cristão. — A visão de teu rosto me traz à lembrança tua bondade e teu esforço pelo meu eterno bem.

— Mil vezes bem-vindo — falou Fiel, por sua vez. — Como nós, pobres peregrinos, desejamos tua companhia, meu gentil Evangelista!

— Como tendes passado desde a última vez que nos separamos? — indagou Evangelista. — O que enconstrastes pelo caminho e como vos portastes?

Então, Cristão e Fiel contaram tudo que lhes acontecera ao longo do trajeto e de que modo e com quais dificuldades chegaram àquele local.

— Estou feliz, não porque passastes por provas, mas porque saístes vitoriosos e porque, apesar de muitas fraquezas, continuastes no caminho até agora — disse Evangelista. — Estou feliz, e não só por vós, mas também por mim. Eu semeei e vós colhestes. E virá o dia em que tanto aquele que semeou como quem colheu exultarão juntos, pois, quando se resiste, "na estação certa se colhe".[150] A coroa[151] está diante de vós, e ela é incorruptível. Por isso, apressai-vos para obtê-la[152]. Alguns partiram em busca dessa coroa, e depois de viajar muito, outro surge e lhes toma essa conquista. Protegei-a, portanto, vós que a obtivésseis. Não permiti que nenhum homem tome vossa coroa[153].

— Vós ainda não estais fora do alcance do diabo — prosseguiu Evangelista. — Ainda não resististes até sangrar em vossa luta

---

[150] João 4:36: "E o que ceifa recebe galardão, e ajunta fruto para a vida eterna; para que, assim o que semeia como o que ceifa, ambos se regozijem". Gálatas 6:9: "E não nos cansemos de fazer bem, porque a seu tempo ceifaremos, se não houvermos desfalecido".

[151] A coroa é o emblema supremo de autoridade espiritual ou temporal que identifica, glorifica ou consagra os indivíduos escolhidos. Na simbologia cristã, a coroa representa a iluminação espiritual.

[152] 1 Coríntios 9:24-27: "Não sabeis vós que os que correm no estádio, todos, na verdade, correm, mas um só leva o prêmio? Correi de tal maneira que o alcanceis. E todo aquele que luta de tudo se abstém; eles o fazem para alcançar uma coroa corruptível; nós, porém, uma incorruptível. Pois eu assim corro, não como a coisa incerta; assim combato, não como batendo no ar. Antes subjugo o meu corpo, e o reduzo à servidão, para que, pregando aos outros, eu mesmo não venha de alguma maneira a ficar reprovado".

[153] Apocalipse 3:11: "Eis que venho sem demora; guarda o que tens, para que ninguém tome a tua coroa".

O Peregrino

contra o pecado. Que o reino esteja sempre diante de vós e crede com firmeza nas coisas invisíveis. Não deixai que as coisas deste mundo se arraiguem em vós e, sobretudo, vigiai bem vosso coração e vossas paixões, "pois são as coisas mais enganosas dentre todas". Que vossas faces sejam como uma pedra. Vós tendes ao vosso lado todo o poder do céu e da terra.

Cristão agradeceu pela exortação, mas pediu a Evangelista que continuasse a lhes falar coisas que os ajudassem pelo resto do caminho, pois bem sabiam que ele era um profeta e que poderia predizer coisas que aconteceriam com eles, e lhes falar sobre como deveriam resistir a tais obstáculos. Fiel endossou o pedido de Cristão, e assim, Evangelista lhes disse o seguinte:

— Meus filhos, vós ouvistes nas palavras da verdade dos Evangelhos que deveis superar muitas atribulações para entrar no Reino dos Céus, e também que em cada cidade vínculos e aflições vos aguardam. Não espereis, portanto, que de um modo ou de outro não encontrem tais coisas em vossa peregrinação. Vós já testemunhastes essas verdades, e outras provações ainda virão, pois já estais quase saindo desse território desolado e logo chegareis a uma cidade, onde sereis duramente assolados por inimigos, que não medirão esforços para matar a ambos. E deveis saber que um de vós, ou os dois, deverá selar vosso próprio testemunho com sangue. Mas tendes fé mesmo na morte, e o Rei vos dará a coroa da vida.

— Aquele que lá morrer — continuou Evangelista —, mesmo sua morte não sendo natural e grande sendo a sua dor, ainda assim terá melhor quinhão que seu companheiro, não só porque chegará mais cedo à Cidade Celestial, mas porque escapará das muitas desgraças que o outro encontrará no restante de sua jornada. Porém, quando chegardes à cidade e o que eu aqui relatei houver acontecido, lembrai-vos de vosso amigo e procedei com coragem, confiando o bem de vossa alma a Deus, vosso fiel Criador.

JOHN BUNYAN

Então, vi em meu sonho que ao saírem da região desolada, viram uma cidade diante deles, uma cidade chamada Vaidade. E na cidade havia uma feira, que acontecia o ano todo: a Feira da Vaidade. Tinha esse nome porque a cidade onde acontecia era mais soberba que a vaidade, e também, porque o que lá chega ou é vendido é vaidade. Conforme as palavras do sábio, "tudo que vem é vaidade"[154].

Essa feira não é algo estabelecido recentemente, mas há muito tempo. Vou contar sobre sua origem.

Há quase cinco mil anos[155], havia peregrinos viajando para a Cidade Celestial, como essas duas pessoas honestas; mas lá também estavam Belzebu, Apoliom e a Legião, com seus companheiros. Percebendo que o caminho dos peregrinos passava por essa cidade, ali estabeleceram uma feira, onde seriam vendidos todos os tipos de vaidade e que deveria acontecer durante todo o ano. Por isso, nessa feira, todos os tipos de mercadoria estão à venda, como casas, terras, negócios, locais, honras, privilégios, títulos, países, reinos, paixões e prazeres de todos os tipos, como prostitutas, cafetinas,

---

[154] **Eclesiastes 2:11-17:** "E olhei eu para todas as obras que fizeram as minhas mãos, como também para o trabalho que eu, trabalhando, tinha feito, e eis que tudo era vaidade e aflição de espírito, e que proveito nenhum havia debaixo do sol. Então passei a contemplar a sabedoria, e a loucura e a estultícia. Pois que fará o homem que seguir ao rei? O mesmo que outros já fizeram. Então vi eu que a sabedoria é mais excelente do que a estultícia, quanto a luz é mais excelente do que as trevas. Os olhos do homem sábio estão na sua cabeça, mas o louco anda em trevas; então também entendi eu que o mesmo lhes sucede a ambos. Assim eu disse no meu coração: Como acontece ao tolo, assim me sucederá a mim; por que então busquei eu mais a sabedoria? Então disse no meu coração que também isto era vaidade. Porque nunca haverá mais lembrança do sábio do que do tolo; porquanto de tudo, nos dias futuros, total esquecimento haverá. E como morre o sábio, assim morre o tolo! Por isso odiei esta vida, porque a obra que se faz debaixo do sol me era penosa; sim, tudo é vaidade e aflição de espírito".

[155] Aproximadamente a idade do mundo, segundo os cálculos de teólogos cristãos com base nas datações registradas na Bíblia. Ao contar as "gerações" citadas na Bíblia de Adão até Jesus, James Ussher (1581-1656), arcebispo de Arnagh, na Irlanda, deduziu, em 1650, que a criação aconteceu no anoitecer anterior ao domingo, 23 de outubro de 4004 a.C., pelo calendário juliano. (Algumas fontes afirmam que foi às 9 horas da manhã, e algumas atribuem a determinação do momento da criação ao clérigo John Lightfoot [1602-1675], vice-reitor da Universidade de Cambridge.)

O Peregrino

esposas, maridos, filhos, mestres, servos, vidas, sangue, corpos, almas, prata, ouro, pérolas, pedras preciosas e tudo o mais. Além disso, nessa feira encontram-se, o tempo todo, malabaristas vigaristas, jogos, tolos, símios, patifes e trapaceiros de todos os tipos. Ali também se encontram ladrões, assassinos, adúlteros, pessoas que quebram suas promessas, gente da pior espécie.

E como nas outras feiras menos importantes, há diversas ruas e vielas com nomes apropriados, onde tais e tais coisas são vendidas. Assim, ali também encontras lugares, vielas, ruas onde produtos específicos de outros países e reinos são comercializados. Há a rua Britânica, a rua Francesa, a Italiana, a Espanhola, a Alemã, onde diversos tipos de vaidades são vendidos. Contudo, como nas outras feiras, há um produto que é o principal. Os artigos e mercadorias de Roma são muito promovidos nessa feira. Apenas nossa nação inglesa, e algumas outras, desenvolveram uma repulsa pela agitação.

Ora, como eu disse, o caminho para a Cidade Celestial passa por essa cidade onde acontece tal feira pomposa, e aquele que tiver que passar pela cidade, mas sem nela entrar, deve sair do mundo[156]. O próprio Príncipe dos príncipes passou por essa cidade em viagem a seu país e também num dia de feira. Sim, foi Belzebu, se não me engano, o principal senhor dessa feira, que O convidou para comprar algumas das suas vaidades. Disse que faria Dele o senhor da feira se apenas o reverenciasse em sua passagem pela cidade[157]. Sim, como Ele é uma pessoa de muita honra, Belzebu levou-o de rua em rua, e, em pouco tempo, mostrou-Lhe todos os reinos do mundo, tentando, seduzir O Abençoado a ceder e comprar algumas

---

[156] **1 Coríntios 5:10:** "Isto não quer dizer absolutamente com os devassos deste mundo, ou com os avarentos, ou com os roubadores, ou com os idólatras; porque então vos seria necessário sair do mundo".

[157] **Mateus 4:8:** "Novamente o transportou o diabo a um monte muito alto; e mostrou-lhe todos os reinos do mundo, e a glória deles".

das suas vaidades. Mas Ele não queria saber de vaidades e deixou a cidade sem gastar um tostão nas tais mercadorias. Essa feira é, portanto, antiga, tradicional e muito importante.

Conforme contei, os peregrinos precisavam passar por essa feira. E assim fizeram. Mas, ao entrar na feira, todas as pessoas que estavam lá e também na cidade reuniram-se num rebuliço ao redor deles. Isso aconteceu por diversos motivos.

Primeiro, os peregrinos vestiam uma roupa diferente de qualquer outra vendida naquela feira. Por isso, toda a gente os observava. Alguns diziam que eram tolos; outros, que eram desordeiros; outros, ainda, que eram estrangeiros[158].

Segundo, porque, do mesmo modo que repararam em suas vestimentas, também notaram sua língua, pois poucos entendiam o que falavam. Os peregrinos falavam naturalmente a língua de Canaã[159], enquanto os homens da feira falavam o idioma deste mundo. Assim, por conta disso, de uma ponta a outra da feira, uns soavam como bárbaros aos outros.

Terceiro, o que não agradou nem um pouco os mercadores foi o fato de que os peregrinos passavam muito rapidamente por seus produtos, sem nem ao menos olhar para eles. E se os mercadores os chamavam para comprar, eles tapavam os ouvidos e gritavam, virando os olhos para não ver a vaidade, olhando para cima, indicando que seu comércio estava no céu[160].

---

[158] 1 Coríntios 2:7-8: "Mas falamos a sabedoria de Deus, oculta em mistério, a qual Deus ordenou antes dos séculos para nossa glória; A qual nenhum dos príncipes deste mundo conheceu; porque, se a conhecessem, nunca crucificariam ao Senhor da glória".

[159] "Canaã é a terra prometida por Deus ao povo de Israel. De acordo com a Bíblia, Deus ordenou a Abrão que fosse para a terra de Canaã, dando início ao êxodo dos hebreus. Muitos anos depois, os descendentes de Abraão conquistaram a terra prometida, e Canaã passou, então, a ser chamada de Israel".

[160] "Filipenses 3:19-20: Cujo fim é a perdição; cujo Deus é o ventre, e cuja glória é para confusão deles, que só pensam nas coisas terrenas. Mas a nossa cidade está nos céus, de onde também esperamos o Salvador, o Senhor Jesus Cristo".

Um deles, observando seus modos e roupas, perguntou-lhes em tom jocoso:

— O que comprareis?

Mas eles o miraram com um olhar grave e responderam:

— Compramos a verdade[161].

Isso os levou a desprezar ainda mais os peregrinos. Alguns troçavam deles, outros os ridicularizavam, certas pessoas os censuravam, e havia os que instigavam a multidão a espancá-los. Uma grande agitação acabou dominando a feira, levando a uma grande desordem. Assim, o mestre da feira foi chamado. Ele logo apareceu e encarregou alguns de seus amigos, nos quais tinha maior confiança, a levar aqueles homens, que haviam praticamente interrompido a feira, para serem inquiridos. Assim, perguntaram aos peregrinos de onde provinham, para onde iam e o que faziam ali com aquelas roupas incomuns. Eles responderam que eram peregrinos e estrangeiros neste mundo, que estavam indo a seu país, que era a Jerusalém celestial[162] e que não haviam respondido aos homens da cidade, ou aos mercadores, tentando continuar sua viagem, exceto quando alguém perguntara o que comprariam, e responderam que comprariam a verdade. Mas os juízes não acreditaram e os tomaram por desordeiros amalucados, ou algo assim, que desejavam causar confusão. Por isso, deram-lhes uma surra, besuntaram-nos com imundícies e os colocaram em uma jaula para servir de espetáculo a todas as pessoas da feira.

---

[161] **Provérbios 23:23:** "Compra a verdade, e não a vendas; e também a sabedoria, a instrução e o entendimento".

[162] **Hebreus 11:13-16:** "Todos estes morreram na fé, sem terem recebido as promessas; mas vendo-as de longe, e crendo-as e abraçando-as, confessaram que eram estrangeiros e peregrinos na terra. Porque, os que isto dizem, claramente mostram que buscam uma pátria. E se, na verdade, se lembrassem daquela de onde haviam saído, teriam oportunidade de retornar. Mas agora desejam uma melhor, isto é, a celestial. Por isso também Deus não se envergonha deles, de se chamar seu Deus, porque já lhes preparou uma cidade".

Vê, Feira das Vaidades! Os peregrinos
Estão ambos enjaulados neste lugar ateu.
Até mesmo nosso Senhor por aqui passou
E no Monte Calvário morreu

O Peregrino

Lá eles foram deixados durante algum tempo, objetos da diversão, malícia, ou vingança dos passantes. E o mestre da feira ria de tudo que lhes sucedia. Mas os peregrinos foram pacientes e não responderam às ofensas com ofensas, e sim, ao contrário, com bênçãos e palavras bondosas para os maus, com gentileza àqueles que os injuriavam. Por isso, alguns dos homens na feira, mais observadores e menos preconceituosos, começaram a reprovar os abusos infligidos aos peregrinos. Os outros, porém, zangaram-se e os agrediram, prendendo-os na jaula, julgando-os tão maus quanto os peregrinos, afirmando que eram associados e que deveriam sofrer os mesmos infortúnios. Estes replicaram que, pelo que viam, os peregrinos eram quietos, sóbrios e não faziam mal a ninguém. Na verdade, argumentaram, muitas das pessoas que negociavam na feira mereciam bem mais ser postas na jaula e até no pelourinho do que peregrinos que estavam sendo maltratados. Assim, depois de os dois lados muito discutirem, ao mesmo tempo em que os dois peregrinos portavam-se com sabedoria e sobriedade, os oponentes partiram para a agressão, ferindo-se mutuamente. Então, uma vez mais os pobres peregrinos foram levados diante dos juízes e considerados culpados pela recente confusão que ocorrera na feira. Como punição, foram espancados sem piedade, colocados em ferros e exibidos em todos os locais da feira, como exemplo para aterrorizar os outros, caso alguém voltasse a defendê-los, pois seriam punidos da mesma forma. Mas Cristão e Fiel comportaram-se com sabedoria e receberam a ignomínia e a humilhação infligidas com paciência e mansidão, e isso repercutiu de modo favorável a eles, conquistando a simpatia de muitas pessoas, embora não da maioria. Isso enfureceu ainda mais aqueles contrários aos peregrinos, de modo que decidiram matar os forasteiros. Fizeram ameaças, dizendo que eles não mereciam ser enjaulados, e sim mortos, por conta da confusão que haviam provocado e por iludir as pessoas da feira. Os peregrinos foram levados de volta à jaula até a ordem ser restabelecida. Lá ficaram, com os pés acorrentados ao tronco.

Nessa situação, lembraram-se daquilo que ouviram de seu leal amigo Evangelista e ficaram ainda mais firmes para enfrentar os sofrimentos pelos quais sabiam que passariam. Também consolaram um ao outro, recordando que aquele cujo quinhão fosse a dor receberia a melhor parte. Por isso, em segredo, cada um deles desejou ser o escolhido, embora entregando-se com grande contentamento à decisão Dele, que governa todas as coisas. Dessa maneira, aceitaram a condição na qual se encontravam, até que a questão fosse resolvida.

Assim, uma data conveniente foi marcada, quando os peregrinos seriam levados a julgamento para serem condenados. Quando chegou o dia, foram levados a seus inimigos e acusados. O nome do juiz era lorde Ódio-ao-Bem. A acusação era a mesma para os dois, embora variasse na forma. O conteúdo da acusação era o seguinte:

Que eles eram inimigos subversivos do seu comércio; que fizeram e dividiram a cidade, arrebanhando um partido em apoio às suas perigosas opiniões, desprezando a lei do príncipe.

Agora, Fiel, tem coragem, fala pelo teu Deus
Não teme a malícia dos maus, confia nos teus.
Fala com audácia, homem, a verdade está ao teu lado:
Morre por ela e, em triunfo, vive imaculado.

Então, Fiel começou a responder. Afirmou que se colocara contra os que haviam se colocado contra Ele, que é o mais elevado entre os elevados.

— E — continuou Fiel — quanto à desordem, não provoquei nenhuma, pois sou homem de paz. As pessoas que simpatizaram conosco foram conquistadas ao ver nossa verdade e inocência e apenas escolheram ir do mau para o melhor. E a respeito do rei sobre o qual falas, pois ele é Belzebu, o inimigo do nosso Senhor, eu o desafio juntamente com todos os seus anjos[163].

Então, proclamou-se que aquele que tivesse algo a dizer ao senhor rei contra o prisioneiro deveria apresentar-se e dar seu testemunho. Dessa forma, três testemunhas se apresentaram para prestar depoimento: Inveja, Superstição e Bajulação. Perguntaram se as testemunhas conheciam o prisioneiro e o que tinham a dizer ao senhor seu rei contra ele.

Inveja aproximou-se do juiz e declarou:

— Meu lorde, conheço esse homem há muito tempo e atesto sob juramento, perante esta honrada bancada, que ele é...

— Espera! — interrompeu o juiz. — Tomem seu juramento.

E Inveja jurou. Em seguida, continuou:

— Lorde, esse homem, não obstante tenha um nome convincente, é uma das pessoas mais vis do nosso país. Ele não considera nem o príncipe, nem o povo, lei ou costume, e faz tudo que pode para influenciar a todos com seus conceitos desleais, aos quais chama de princípios de fé e de santidade. E, em particular, eu o ouvi certa vez afirmar que o cristianismo e os costumes da nossa cidade da Vaidade são diametralmente opostos e não podem ser reconciliados. Com isso, meu lorde, ele não só condena nossos louváveis feitos, mas a nós mesmos que os realizamos.

---

[163] Os demônios eram anjos caídos que se rebelaram contra Deus por conta de seu orgulho.

— Tens algo mais a declarar? — inquiriu o juiz.

— Lorde, eu poderia falar muito mais, não quero, porém, enfadar o júri. Contudo, se for necessário, quando os outros cavalheiros tiverem dado seu depoimento, caso faltem argumentos para condená-lo, darei mais testemunhos contra ele.

Assim, ela recebeu ordem de ficar à disposição da corte, e Superstição foi chamada. Disseram-lhe para olhar o prisioneiro e lhe perguntaram o que tinha a dizer ao senhor seu rei contra o réu. Dessa forma, Superstição prestou juramento e começou seu testemunho:

— Lorde, não conheço muito esse homem, tampouco desejo conhecê-lo mais. No entanto, sei que ele é uma pessoa muito pestilenta, por conta de uma conversa que travei, outro dia, com ele nesta cidade. Naquela ocasião, ouvi-o dizer que nossa religião não é nada e que por meio dela um fiel não consegue, de modo algum, agradar a Deus. Tais palavras, como o meritíssimo bem sabe, implicam que louvamos em vão, que continuamos a pecar, e, por fim, que seremos condenados. E isso é tudo o que tenho a dizer.

Em seguida, Bajulação jurou e recebeu ordem de dizer, em nome do senhor seu rei, o que sabia de incriminador sobre o réu.

— Meu lorde e cavalheiros presentes, eu conheço esse homem há muito tempo e o ouvi falar sobre coisas que não deveriam ser ditas, uma vez que ele insultou nosso nobre príncipe Belzebu e referiu-se com desprezo a seus honoráveis amigos, lorde Velhaco, lorde Deleite Carnal, lorde Luxuoso, lorde Desejo por Vanglória, meu velho lorde Lubricidade, *sir* Ganancioso e todo o resto da nossa nobreza. E ele disse, além do mais, que se fosse possível todos os homens acatarem seu conselho, nenhum desses nobres permaneceria na cidade. Ademais, não teme ofender ao senhor meu lorde que foi nomeado para julgá-lo, chamando-o de canalha ímpio e de muitos outros termos ignóbeis semelhantes, com os quais qualificou a maioria das pessoas de nossa cidade.

Bajulação concluiu sua história, e o juiz dirigiu-se ao réu, dizendo:

— Ouviu, vagabundo, herege e traidor, os testemunhos dessas pessoas honestas contra ti?

— Posso dizer algumas poucas palavras em minha defesa? — pediu Fiel.

— Gentalha! Gentalha! Não mereces viver, mas sim ser executado imediatamente aqui mesmo — replicou o juiz. — Contudo, para que todos possam testemunhar nossa bondade para contigo, ouçamos o que esse vil vagabundo tem a dizer.

— Respondo, então, às afirmações da senhora Inveja — começou Fiel. — Eu nunca disse nada além disto: que quaisquer regras, leis ou costumes ou povos que são contrários à Palavra de Deus opõem-se diametralmente ao cristianismo. Se eu estiver enganado quanto a isso, convencei-me do meu erro, e eu prontamente me retratarei.

— Com relação ao testemunho da senhora Superstição e sua acusação contra mim — prosseguiu Fiel —, respondo apenas isto: que no louvor a Deus faz-se necessária a Divina Fé. No entanto, não pode haver Divina Fé sem uma Revelação Divina, da Vontade de Deus. Por isso, o que for incluído no louvor a Deus e que estiver em desacordo com a Revelação Divina não pode ser realizado sem fé humana, fé esta que de nada valerá para a vida eterna.

— Quanto ao que a senhora Bajulação disse — finalizou o réu —, eu falei (sem usar os termos ofensivos que ela disse que empreguei) que o príncipe deste lugar, com todo o tumulto e os cavalheiros que o cercam, ficaria melhor no inferno que nesta cidade e neste país. E assim, que o Senhor tenha piedade de mim!

Em seguida, o juiz convocou o júri, cujos membros haviam permanecido de lado o tempo todo, ouvindo e observando.

— Cavalheiros do júri — disse o magistrado —, ouvistes este homem que provocou tanta comoção na cidade. Também ouvistes o testemunho destas valorosas pessoas contra o réu. Escutastes, igualmente, sua resposta e confissão. Cabe a vós enforcá-lo ou salvá-lo. Não obstante, penso ser necessário instruí-los sobre nossa lei.

— Há uma lei promulgada nos dias do Grande Faraó, servo de nosso príncipe — continuou o juiz —, a qual determina que, caso o número daqueles contrários à religião se multiplique demais, os homens desse grupo devem ser lançados no rio[164]. Há, do mesmo modo, uma lei decretada nos dias de Nabucodonosor, o Grande[165], outro servo de nosso príncipe, a qual reza que aquele que não se prostrar e adorar sua imagem de ouro deve ser jogado em uma fornalha ardente[166]. Nos tempos de Dario[167] foi, similarmente, expedida uma lei a qual ordenava que aquele que invocasse qualquer deus que não ele deveria ser atirado à cova dos leões[168]. Ora, este rebelde violou a substância dessas leis e não apenas em pensamento (o que não deve ser tolerado), mas também em palavra e ato, o que é, portanto, inadmissível.

— Com relação ao faraó — afirmou finalmente o juiz —, sua lei foi promulgada com base em uma suposição, para evitar o mal, e não há, ainda, crime aparente. No entanto, há crime aparente quanto à segunda e à terceira leis; ele depôs contra a religião, e por essa traição, a qual confessou, merece a morte.

Então, saíram os jurados, cujos nomes eram Cego, Maldade, Malicioso, Lascívia, Libertino, Imprudência, Pretensioso,

---

[164] Êxodo 1:22: "Então ordenou Faraó a todo o seu povo, dizendo: A todos os filhos que nascerem lançareis no rio, mas a todas as filhas guardareis com vida".

[165] O mais poderoso rei da Babilônia, Nabucodonosor (634-562 a.C.), conquistou Israel, tomou Jerusalém e escravizou os hebreus, os quais levou à Babilônia. Entre os prisioneiros estava o profeta Daniel.

[166] Daniel 3:6: "E qualquer que não se prostrar e não a adorar, será na mesma hora lançado dentro da fornalha de fogo ardente".

[167] Dario I, o Grande (550-486 a.C.), governou o império Aquemênida em seu auge. Durante seu reinado (522 a 486 a.C.), Dario renovou a autorização dada por Ciro (rei persa que reinou entre 559 e 530 a.C.) para a reconstrução do Templo de Jerusalém, conforme narrado em Esdras 5-6.

[168] Daniel capítulo 6.

Malevolência, Mentiroso, Crueldade, Ódio-à-luz e Implacável. Cada um declarou aos colegas seu veredito contra o réu, e, em seguida, concluíram por unanimidade que era culpado e comunicaram isso ao juiz. Primeiro entre todos, Cego, o presidente do júri, afirmou:

— Vejo claramente que esse homem é um herege.

Depois, Maldade disse:

— Eliminem esse homem da face da Terra!

— Odeio sua aparência — admitiu Malicioso.

— Eu não o toleraria — anunciou Lascívia.

— Tampouco eu — concordou Libertino —, pois ele sempre condenaria meus modos.

— Enforquem-no! Enforquem-no! — exigiu Malevolência.

— Um pobre infeliz — opinou Imprudência.

— Meu coração se rebela contra ele — disse Pretensioso.

— É um velhaco — criticou Mentiroso.

— A forca é pouco para ele — declarou Crueldade.

— Vamos despachá-lo para longe do nosso caminho — proclamou Ódio-à-luz.

— Mesmo que o mundo todo me fosse oferecido como recompensa, eu não poderia perdoá-lo — disse Implacável. — Vamos condená-lo à morte!

E assim fizeram. Deste modo, ele foi condenado a ser levado do local onde estava até o lugar de onde provinha, e lá ser levado à mais cruel das mortes que se pudesse imaginar. E tudo foi feito de acordo com a lei. Primeiro, ele foi açoitado; em seguida, esmurrado; depois, lancetaram sua carne com facas; após, apedrejaram-no e o perfuraram com espadas; por fim, queimaram-no na estaca até seu corpo se transformar em cinzas. E assim, Fiel encontrou seu fim.

Vi, então, que atrás da multidão havia uma carruagem puxada por dois cavalos, esperando por Fiel; ele foi levado a ela (logo que seus adversários o despacharam) e o veículo o conduziu através das nuvens, ao som das trombetas, direto ao Portão Celestial.

Bravo Fiel, agiu com coragem em palavra e feito.
O juiz, as testemunhas e o júri, com efeito,
Em vez de absolvê-lo, asseveram sua agressividade.
Mas eles morrerão, e ele viverá pela eternidade.

A Cristão, porém, foi concedido um adiamento temporário, e ele foi levado de volta à prisão. E lá permaneceu. No entanto, Aquele que domina todas as coisas, tomando o poder do ódio dos oponentes em Suas mãos, forjou-o de tal modo que Cristão escapou e seguiu seu próprio caminho. E enquanto ia, cantava:

> Bem, Fiel, demonstraste tua grande fé
> Ao Senhor, e, por isso, te recebeu Javé.
> Enquanto os infiéis, com seu deleite vão,
> Gemem sob o inferno da própria degradação:
> Canta, Fiel, canta porque teu nome sobrevive,
> Pois, embora te tenham assassinado, tu ainda vives!

Vi, em meu sonho, que Cristão não partiu sozinho, pois com ele ia Esperançoso (que havia ouvido as palavras e testemunhado o comportamento de Cristão e de Fiel diante dos sofrimentos aos quais foram submetidos na feira), que abordou Cristão, e oferecendo firmar uma aliança fraternal, pediu para acompanhá-lo. Assim, enquanto alguém morre por testemunhar a verdade, outro se ergue das suas cinzas, tornando-se companheiro de Cristão em sua peregrinação. Esperançoso disse a Cristão que havia muitos outros na feira que os seguiriam mais tarde.

Vi que logo depois de sair da feira, alcançaram um homem chamado Interesse-Próprio, a quem abordaram:

— De onde vens e até onde vais nesta estrada?

Ele lhes respondeu que era da cidade da Boa Fala e que estava indo para a Cidade Celestial (embora não tenha mencionado esse nome).

— De Boa Fala! — exclamou Cristão. — Há algum bem que lá vive?[169]

---

[169] **Provérbios 26:25**: "Quando te suplicar com voz suave não te fies nele, porque abriga sete abominações no seu coração".

O Peregrino

— Sim — disse Interesse-Próprio —, assim espero.

— Podes me dizer como te chamas? — indagou Cristão.

— Sou um estranho para vós — respondeu Interesse-Próprio. — Caso estejais indo por este caminho, fico feliz se puder acompanhar-vos. Do contrário, terei que me conformar.

— Já ouvi falar da cidade da Boa Fala — admitiu Cristão. — Se bem me lembro, é um lugar rico.

— Eu te asseguro que sim — concordou Interesse-Próprio. — Eu mesmo tenho muitos parentes ricos que vivem lá.

— E posso saber quem são teus parentes? — continuou Cristão.

— Praticamente a cidade inteira. Em particular, o lorde Vira-Casaca, o lorde Servidor-do-Tempo, o lorde Boa Fala (de cujos ancestrais a cidade tomou seu nome) e também o senhor Escorregadio, o senhor Duas Caras, o senhor Qualquer Coisa e o pároco da cidade, senhor Duas Línguas, que é meio-irmão de minha mãe por parte de pai. Para dizer a verdade, tornei-me um cavalheiro de dignidade, embora meu avô não fosse mais que um barqueiro, olhando de um lado e remando do outro, e eu adquiri a maior parte dos meus bens por meio da mesma ocupação.

— És casado? — inquiriu Cristão.

— Sim, e minha esposa é uma pessoa muito virtuosa, filha de uma mulher virtuosa[170]. É filha de *lady* Fingida e, portanto, proveniente de uma família honrada. Ela atingiu tal grau de distinção que sabe se portar diante de todas as gentes, tanto de príncipes como de camponeses. É bem verdade que diferimos um pouco em termos de religião daqueles mais rígidos, embora em apenas dois pontos menores: primeiro, nunca remamos contra o vento ou a maré[171]; segundo, somos sempre muito zelosos quando à religião

---

[170] A repetição está no original, indicando linhagem.

[171] Bunyan se refere aos cristãos que abandonam sua fé para seguir a do rei, evitando, desse modo, serem perseguidos.

calçar sandálias de prata. Gostamos muito de andar com ela na rua, quando o sol brilha, e as pessoas as aplaudem.

Então, Cristão se afastou um pouco, aproximando-se de seu companheiro, Esperançoso, e lhe falou:

— Acho que este é Interesse-Próprio da cidade de Boa Fala, e se for ele mesmo, temos como companhia um dos maiores patifes que vivem por estes lados.

— Pergunta a ele — sugeriu Esperançoso. — Penso que ele não se envergonha de seu nome.

Assim, Cristão se aproximou dele de novo e lhe disse:

— Falas como se soubesses de algo que ninguém mais sabe. E, se não estou enganado, acho que sei quem és: teu nome não seria Interesse-Próprio, de Boa Fala?

— Meu nome não é esse, mas sim meu apelido, que recebi de alguém que não me tolera, e o considero uma injúria, do mesmo modo que outros homens bons tiveram que suportar nomes constrangedores antes de mim.

— Mas nunca lhes deste motivo para te darem esse apelido? — quis saber Cristão.

— Nunca, nunca! — protestou Interesse-Próprio. — O pior que fiz para lhes dar motivo para assim me chamarem foi sempre ter a sorte de me adaptar aos costumes da época, sejam quais forem, e faço isso muito bem. Mas se lançam essas coisas sobre mim, que eu as considere uma bênção, porém, que os maliciosos não me sobrecarreguem de censura.

— Achei que fosses o homem sobre o qual ouvi falar — observou Cristão. — E, para ser franco, creio que esse apelido se aplica a ti mais do que desejas que pensemos.

— Bem, não posso fazer nada se pensais dessa forma — disse Interesse-Próprio. — Se ainda aceitardes minha companhia, vereis que sou uma pessoa afável.

— Se vieres conosco, terás que remar contra o vento e a maré, o que, pelo que percebi, é contra tua opinião — avisou Cristão.

— Também deverás acompanhar a religião quando ela estiver vestindo andrajos, tanto como quando veste suas sandálias de prata, e ficar a seu lado quando ela estiver acorrentada numa prisão, tanto quanto nos momentos em que for aplaudida.

— Tu não deves te impor nem determinar minha fé — protestou Interesse-Próprio. — Tenho liberdade de escolher, mas deixa-me seguir convosco.

— Nem mais um passo, a não ser que faças o que propus — advertiu Cristão.

— Nunca abandonarei meus princípios — declarou Interesse-Próprio —, pois são inofensivos e proveitosos. Se não posso acompanhar-vos, continuarei como estava até vós me alcançastes e seguirei só até que outro me alcance e se contente com minha companhia.

Vi, em seguida, no sonho, que Cristão e Esperançoso o deixaram e se distanciaram dele. Mas um dos peregrinos olhou para trás e viu que três homens se aproximavam de Interesse-Próprio. Ao acercarem-se dele, vi que ele lhes fez uma reverência muito formal, e eles também responderam ao cumprimento. Seus nomes eram: Apego-ao-Mundo, Amor-ao-Dinheiro e Acumula-Tudo, homens que Interesse-Próprio já conhecia, pois, quando crianças, foram colegas de escola e tiveram aulas com certo professor Apego, um mestre-escola em Amor-ao-Ganho, uma cidade-mercado no condado de Cobiça, na região Norte. O professor lhes ensinara a arte de tomar, seja por violência, fraude, bajulação, mentira ou usando o disfarce da religião. E esses quatro cavalheiros haviam aprendido muito bem a arte de seu mestre, tanto que qualquer um deles poderia abrir sua própria escola.

Ora, depois de se cumprimentarem, Amor-ao-Dinheiro perguntou a Interesse-Próprio:

— Quem são aqueles à nossa frente? — pois Cristão e Esperançoso ainda estavam à vista.

— São dois viajantes que vêm de longe e estão, do seu modo, fazendo uma peregrinação — respondeu Interesse-Próprio.

— Mas, por que não esperam para que possamos aproveitar sua companhia? — estranhou Amor-ao-Dinheiro. — Afinal, estamos todos fazendo uma peregrinação.

— De fato, estamos — concordou Interesse-Próprio —, mas aqueles homens ali adiante são tão rígidos, têm tanto amor por suas próprias convicções e também tanto desprezo pelas opiniões dos outros, que se um homem não for santo o bastante nem concordar com eles em tudo, eles não o consideram digno de sua companhia.

— Isso é mau — disse Acumula-Tudo —, mas já lemos sobre algumas pessoas que são demasiadamente corretas, e a retidão desses homens faz com que julguem e condenem a todos, menos a si mesmos. Mas, dize-me, quais e quantas eram as coisas sobre as quais vós divergis?

— Ora, eles creem, de sua maneira obstinada, que é sua obrigação continuar em sua jornada sob qualquer intempérie, enquanto eu prefiro esperar o vento e a maré favoráveis. Estão prontos a sacrificar tudo em nome de Deus num estalar de dedos, enquanto eu prefiro aproveitar todas as vantagens para assegurar minha vida e propriedade. Mantêm suas convicções mesmo quando todos os outros são contrários a elas, mas eu sou a favor de uma religião que seja condizente com nossa época e que garanta minha segurança. Eles defendem a religião mesmo que coberta de andrajos, mas eu sou partidário daquela que calça sandálias de ouro, sob a luz do Sol, e que seja aplaudida.

— Sim, concordo contigo, Interesse-Próprio — assentiu Apego-ao-Mundo. — Da minha parte, considero tolo aquele que, tendo a liberdade de manter o que tem, seja insensato o bastante para perder tudo. Sejamos como sábias serpentes. É melhor aproveitar as oportunidades, como a abelha que descansa no inverno e só trabalha quando as condições permitem que ela tire proveito e tenha prazer.

— Por vezes, Deus manda a chuva — prosseguiu Apego-ao-Mundo. — Outras, o Sol. Seríamos tolos se saíssemos na chuva quando podemos viajar com tempo bom. Da minha parte, prefiro a religião que traz a segurança das boas bênçãos que Deus nos concedeu, pois quem poderia imaginar em sua sã consciência que, uma vez que Deus nos deu as coisas boas desta vida, não quereria que usufruíssemos delas? Abraão enriqueceu na religião, e Jó diz que o homem bom deve acumular ouro e poeira. Mas não são como aqueles dois que vão ali adiante, se forem mesmo como os descreveste.

— Acho que todos concordamos quanto a isso — afirmou Acumula-Tudo. — Assim, não precisamos mais falar sobre o assunto.

— Não, realmente não precisamos mais falar sobre isso — concordou Amor-ao-Dinheiro —, pois aquele que não acredita nem nas Escrituras nem segue a razão (e nós temos essas duas qualidades ao nosso lado), tampouco conhece sua liberdade, ou busca sua própria segurança.

— Irmãos — disse Interesse-Próprio —, estamos, como vedes, numa peregrinação, e para nos distrairmos de coisas más, deixai-me propor esta questão: suponhais que um homem, um ministro ou um mercador, tenha diante de si a vantagem de obter as boas bênçãos desta vida. Ele, porém, não pode conquistá-las sem antes tornar-se extraordinariamente zeloso em alguns pontos da religião pelos quais não se interessava. Acaso ele não pode usar esses meios para conseguir seu fim, conservando-se, ainda assim, um homem reto e honesto?

— Percebo o sentido da tua pergunta — falou Amor-ao-Dinheiro. — E, com a permissão destes cavalheiros, eu me empenharei em dar a resposta. E, primeiro, responderei à tua pergunta sob a ótica de um ministro: suponhamos que determinado ministro, um homem de valor, possua uma renda muito pequena e deseje uma muito maior. E que agora ele tenha a oportunidade de obtê-la ao tornar-se mais estudioso, ao pregar com mais frequência e com maior zelo, e como o temperamento das pessoas exige, ao alterar alguns dos seus princípios. Da minha parte, não vejo motivo que impeça alguém de fazer isso (desde que tenha vocação) e de fazer ainda mais, conservando-se honesto. Pois,

1. Seu desejo por uma renda maior é legal (isso não pode ser contradito), uma vez que lhe foi concedido pela Providência. Assim, ele pode obter essa vantagem, se tiver oportunidade, sem ofender sua consciência.

2. Além do mais, seu desejo por obter o benefício o tornou um pregador mais estudioso, mais zeloso, e, por isso, ele se converteu num homem melhor. Sim, isso fez com que ele aperfeiçoasse seus talentos, o que está de acordo com a vontade de Deus.

3. Sobre concordar com a disposição do seu rebanho, abrir mão de alguns de seus princípios para servi-los, podemos argumentar que (1) ele é de um temperamento abnegado, (2) de comportamento dócil e, por isso, (3) mais apto para seguir a função ministerial.

4. Concluo, então, que um ministro que prefere uma renda maior a uma pequena não deve, ao fazer isso, ser considerado ganancioso, mas, ao contrário, por ter aperfeiçoado seus talentos, deve ser julgado como alguém que respondeu ao chamado e que mereceu a oportunidade que lhe foi dada para fazer o bem.

— E agora, sobre a segunda parte da questão — continuou Amor-ao-Dinheiro —, que diz respeito ao mercador que mencionaste. Suponhamos que esse homem tenha um emprego que lhe oferece uma renda modesta, mas que, ao tornar-se religioso, pode melhorar

O Peregrino

seu negócio, talvez se casando com uma mulher rica, ou conseguindo mais e melhores clientes para sua loja. Da minha parte, não vejo motivo para que isso seja visto de outro modo senão o lícito. Pois,

1. Tornar-se religioso é uma virtude, sejam quais forem os motivos que o estimularam.

2. Tampouco é ilegal casar-se com uma mulher rica, ou atrair mais clientes para sua loja.

3. Além disso, o homem que conquista tais coisas ao tornar-se religioso obtém o que é bom ao converter-se em bom. Assim, ele tem uma boa esposa, e bons clientes e uma boa renda, e tudo isso ao fazer-se religioso, o que é bom; portanto, tornar-se religioso para conseguir tais coisas é um desígnio bom e proveitoso.

A resposta dada por Amor-ao-Dinheiro a Interesse-Próprio foi muito aplaudida por todos, e eles concluíram que tais atitudes eram salutares e vantajosas. E como pensavam que nenhum homem fosse capaz de refutar tais considerações, e como Cristão e Esperançoso ainda estavam à vista, concordaram em abordá-los com a pergunta tão logo os alcançassem, uma vez que ambos haviam se oposto a Interesse-Próprio. Assim, chamaram-nos, e eles pararam e esperaram até que os outros os alcançassem. No entanto, enquanto iam, haviam decidido que a questão não seria colocada por Interesse-Próprio, mas por Apego-ao-Mundo, pois, conforme supunham, sua resposta a ele não estaria impregnada da acalorada discórdia que surgira entre Interesse-Próprio e os peregrinos um pouco antes, quando se separaram.

Dessa maneira, aproximaram-se, e depois de uma breve saudação, Apego-ao-Mundo fez a pergunta a Cristão e a seu companheiro e pediu que a respondessem como pudessem.

JOHN BUNYAN

— Até uma criança no campo da religião é capaz de responder dez mil vezes a essas perguntas — disse Cristão —, pois não seria lícito seguir Cristo por causa dos pães (como no sexto capítulo de João), quanto mais a abominação de fazer Dele e da religião um meio de desfrutar o mundo! Achamos que essa é a opinião de pagãos, hipócritas, demônios e magos.

1. De pagãos porque quando Hamor e Siquém tinham em mente a filha e o gado de Jacó e viram que não havia meios de conseguirem o que desejavam a não ser submetendo-se à circuncisão, disseram a seus companheiros: Se todo homem fosse circuncidado como eles, o gado, sua substância e todos os seus animais não seriam nossos? Suas filhas e seu gado eram o que eles queriam obter, e a religião, o meio que usaram para conseguir o que queriam[172].

2. Os fariseus hipócritas também eram dessa religião. Fingiam fazer longas preces, porém, sua intenção era conseguir casas com janelas. E Deus os condenou com ainda mais rigor em seu julgamento[173].

3. Judas, o demônio, também seguia essa religião. Era religioso para com a bolsa que poderia ser possuída. Mas ele se perdeu, foi rejeitado, o próprio filho da perdição.

---

[172] **Gênesis 34:20-23:** "Veio, pois, Hamor e Siquém, seu filho, à porta da sua cidade, e falaram aos homens da sua cidade, dizendo: Estes homens são pacíficos conosco; portanto habitarão nesta terra, e negociarão nela; eis que a terra é larga de espaço para eles; tomaremos nós as suas filhas por mulheres, e lhes daremos as nossas filhas. Nisto, porém, consentirão aqueles homens, em habitar conosco, para que sejamos um povo, se todo o homem entre nós se circuncidar, como eles são circuncidados. E seu gado, as suas possessões, e todos os seus animais não serão nossos? Consintamos somente com eles e habitarão conosco".

[173] **Lucas 20:46-47:** "Guardai-vos dos escribas, que querem andar com vestes compridas; e amam as saudações nas praças, e as principais cadeiras nas sinagogas, e os primeiros lugares nos banquetes; que devoram as casas das viúvas, fazendo, por pretexto, largas orações. Estes receberão maior condenação.

O Peregrino

4. Simão, o mago, também era dessa religião. Ele buscava ser animado pelo Espírito Santo apenas para conseguir dinheiro com isso. E sua sentença, proferida por Pedro, foi exemplar[174].

5. Também considero que o homem que adota a religião pelo mundo abandonará a religião pelo mundo, pois, assim como Judas renunciou ao mundo para tornar-se religioso, ele vendeu a religião e seu mestre pelo mundo. Para responder à pergunta, portanto, afirmativamente, conforme percebo que fizeram, e aceitar tal resposta como autêntica é tanto herege como hipócrita e diabólico, e sua recompensa será de acordo com suas obras.

Então, eles ficaram ali se entreolhando, sem saber como responder a Cristão. Esperançoso também aproveitou a sensatez da resposta de Cristão. Mas sobreveio um grande silêncio. Interesse-Próprio e seus acompanhantes diminuíram o passo e ficaram para trás, de modo que Cristão e Esperançoso tomaram a dianteira. Cristão comentou com seu companheiro:

— Se eles não conseguem suportar a sentença dos homens, o que farão diante da sentença de Deus? E se eles emudecem ao enfrentar um vaso de barro, o que farão quando forem castigados pelas labaredas do fogo devorador?

Assim, Cristão e Esperançoso distanciaram-se de novo e continuaram até uma bela planície chamada Facilidade, através da qual seguiram satisfeitos. Mas a planície era estreita, por isso rapidamente a deixaram. No final dessa planície, havia uma colina chamada Lucro, e nessa colina, uma mina de prata; alguns dos

---

[174] **Atos 8:19-22:** "Dizendo: Dai-me também a mim esse poder, para que aquele sobre quem eu puser as mãos receba o Espírito Santo. Mas disse-lhe Pedro: O teu dinheiro seja contigo para perdição, pois cuidaste que o dom de Deus se alcança por dinheiro. Tu não tens parte nem sorte nesta palavra, porque o teu coração não é reto diante de Deus. Arrepende-te, pois, dessa tua iniquidade, e ora a Deus, para que porventura te seja perdoado o pensamento do teu coração."

que por ali passaram desviaram-se do caminho e a visitaram, curiosos com sua raridade. Mas ao chegarem próximos da entrada, o chão traiçoeiro cedeu sob seus pés, e alguns morreram; outros ficaram mutilados, e até o dia de sua morte não se recuperaram.

Então, vi em meu sonho que na margem da estrada, perto da mina de prata, ficava um cavalheiro de nome Demas[175], que chamava os passantes para visitá-la.

— Ei, vinde aqui e vos mostrarei algo! — disse Demas a Cristão e seu companheiro.

— E o que merece que desviemos de nosso caminho para ver?

— Aqui há uma mina de prata e algumas pessoas escavando-a em busca de tesouro. Se virdes comigo, com um pouco de trabalho, podereis juntar uma grande riqueza.

— Então, vamos ver — concordou Esperançoso.

— Eu não irei — afirmou Cristão. — Já ouvi falar desse lugar antes e sei dos muitos que lá morreram. Além disso, esse tesouro é uma cilada que me desvia daquilo que procuro, pois atrasou a peregrinação de muitos.

Daí, Cristão voltou-se a Demas e perguntou:

— Esse lugar não é perigoso? Já não prejudicou muitos peregrinos[176]?

— Não é perigoso demais, a não ser para os descuidados — respondeu Demas, porém, ruborizou ao falar.

---

[175] Demas é o nome de um personagem secundário do Novo Testamento que aparece em três epístolas de Paulo: Filemon 1:24, Colossenses 4:14 e 2 Timóteo 4:10. A primeira delas refere-se a Demas como um dos cooperadores do apóstolo na época em que este se encontrava na sua primeira prisão em Roma (c. 60 d.C.). Mas na sua carta a Timóteo, Paulo fala que "Demas me desamparou, amando o presente século, e foi para Tessalônica" (2 Timóteo 4:10), o que pode significar que Demas tenha sido intimidado pelas perseguições promovidas por Nero contra os cristãos, ou, então, se afastado dos princípios da religião cristã.

[176] Oseias 14:8: "Efraim dirá: Que mais tenho eu com os ídolos? Eu o tenho ouvido, e cuidarei dele; eu sou como a faia verde; de mim é achado o teu fruto".

— Então — disse Cristão a Esperançoso —, não vamos dar um passo que não seja na direção que seguimos.

— Sim, mas quando Interesse-Próprio chegar aqui, se ele receber o mesmo convite, irá ver a mina — observou Esperançoso.

— Sem dúvida, pois seus princípios o levariam a isso, e as chances são de cem contra uma de que ele morra lá.

— Mas vós não quereis ver? — insistiu Demas.

— Demas — advertiu Cristão —, tu és um inimigo do caminho certo do Senhor desta estrada e já foste condenado por um dos juízes de Sua Majestade por afastar-te[177]. E por que queres nos condenar da mesma maneira? Além do mais, se todos nos desviarmos, o nosso Senhor e Rei certamente ouvirá, e isso nos envergonhará quando estivermos diante Dele.

Demas protestou, dizendo que era membro da fraternidade e que se eles se demorassem um pouco, ele mesmo os acompanharia.

— Qual é teu nome — quis saber Cristão. — Acaso é esse pelo qual lhe chamei?

— Sim, meu nome é Demas. Sou filho de Abraão.

— Sei quem és — confirmou Cristão. — Geazi[178] era teu avô e Judas teu pai. E tu seguiste os passos de todos eles[179]. É um truque diabólico que usas. Teu pai foi enforcado como traidor e tu não mereces outra coisa como recompensa. Fica certo de que quando estivermos com o Rei, contaremos a Ele sobre teu comportamento.

Dito isso, seguiram seu caminho.

---

[177] 2 Timóteo 4:10 (ver nota 173).

[178] Personagem que aparece no Livro de Reis, do Velho Testamento (2 Reis 4-5,8). Geazi era servo do profeta Elias, e como tal, tinha uma posição de poder. Era, porém, corrupto, e usou sua autoridade para enganar Naamã, o sírio, um leproso. Como castigo, Elias o amaldiçoou, transferindo a lepra de Naamã para ele e seus descendentes para sempre.

[179] 2 Reis 5:20: "Então Geazi, servo de Eliseu, homem de Deus, disse: Eis que meu senhor poupou a este sírio Naamã, não recebendo da sua mão alguma coisa do que trazia; porém, vive o Senhor que hei de correr atrás dele, e receber dele alguma coisa.

JOHN BUNYAN

Nesse ínterim, Interesse-Próprio e seus companheiros tornaram a se aproximar e foram direto até Demas ao primeiro aceno. Ora, se eles caíram no poço ao olhar da beirada, ou se desceram para cavar, ou se morreram sufocados no fundo da mina, isso não posso dizer. O que observei, porém, é que nunca mais foram vistos no caminho. Então, Cristão cantou:

> *Interesse-Próprio e Demas concordaram*
> *Que um chama e o outro vai, e assim compactuaram*
> *Dividir o lucro. Isto, porém, feito,*
> *Os dois ganharam o mundo, mas encontraram o mortal leito.*

Vi, em seguida, que do outro lado dessa planície os peregrinos chegaram a um antigo monumento, ao lado da estrada, e que os intrigou por conta da estranheza da sua forma, pois lhes pareceu ser uma mulher transformada numa coluna. Ali pararam para observar, mas, por um tempo, não conseguiram entender o que era. Por fim, Esperançoso viu algo escrito acima da cabeça da estátua, um texto feito com caligrafia incomum. Como, porém, não era um estudioso, chamou Cristão (que era estudado) para ver se ele conseguia entender o significado. Assim, depois de estudar as estranhas letras, Cristão assim traduziu o texto: "Lembrai-vos da esposa de Ló"; e ele leu essas palavras para seu companheiro. Ambos concluíram que era a coluna de sal na qual a mulher de Ló havia sido transformada por ter olhado para trás com o coração cheio de ganância, quando buscava segurança ao fugir de Sodoma[180]. A visão surpreendente deu ocasião para a seguinte conversa:

— Ah, meu irmão! É uma visão oportuna, pois a encontramos depois do convite que Demas nos fez para irmos ver a Colina

---

[180] **Gênesis 19:26:** "E a mulher de Ló olhou para trás e ficou convertida numa estátua de sal".

do Lucro. E se houvéssemos ido, como ele desejava, e como estavas inclinado a aceitar, meu irmão, teríamos, pelo que sei, sido transformados como esta mulher, um espetáculo para aqueles que ainda passarão por aqui.

— Sinto muito ter sido tão tolo — admitiu Esperançoso. — Agradeço ter tido a oportunidade de não me tornar igual à mulher de Ló, pois qual é a diferença entre o pecado dela e o meu? Ela apenas olhou para trás, e eu desejei ir ver. Que a graça seja louvada, e que eu me envergonhe de uma tal coisa ter estado em meu coração.

— Vamos observar o que vimos aqui, para nos ajudar quando for necessário — propôs Cristão. — Essa mulher escapou de um julgamento, pois não caiu na destruição de Sodoma. Ainda assim, foi destruída, como vimos, transformada num pilar de sal.

— É verdade — admitiu Esperançoso. — E que ela seja exemplo de precaução para nós; a precaução para nos afastarmos do pecado dela, ou um sinal do que acontecerá àquele que não for prevenido por este aviso. Assim, Coré, Datã e Abirão, com os duzentos e cinquenta homens que pereceram por conta de seus pecados, também se tornaram um sinal ou exemplo para os outros seguirem[181]. Acima de tudo, refletir como Demas e seus companheiros conseguem ser tão confiantes na busca desse tesouro, quando esta mulher, que apenas por olhar para trás (pois lemos que ela não deu um passo para fora do caminho) foi transformada num pilar de sal, especialmente porque a sentença que recebeu fez dela um exemplo, em vista de onde aconteceu a transformação, porque todos os que passam não podem deixar de vê-la, bastando apenas erguer os olhos.

---

[181] **Números 26:9-10:** "E os filhos de Eliabe, Nemuel, e Datã, e Abirão: estes, Datã e Abirão, foram os do conselho da congregação, que contenderam contra Moisés e contra Arão no grupo de Coré, quando rebelaram contra o Senhor; E a terra abriu a sua boca, e os tragou com Coré, quando morreu aquele grupo; quando o fogo consumiu duzentos e cinquenta homens, os quais serviram de advertência".

— É algo para se refletir, e podemos argumentar que o coração desses homens ficou desesperado. E não posso dizer com quem os comparar com precisão, senão com aqueles que batem carteiras na presença do juiz, ou que roubam bolsas debaixo do cadafalso. Dizem que os homens de Sodoma eram grandes pecadores, porque pecavam diante do Senhor, isto é, à sua vista, não obstante a bondade que Ele lhes dedicou[182], pois a terra de Sodoma era como o Jardim do Éden havia sido antes da Queda[183].

— Isso atiçou ainda mais a ira divina — prosseguiu Cristão —, e o Senhor os puniu com o calor do fogo mais ardente. Assim, é racional concluir que aqueles que pecam à vista, apesar dos exemplos continuamente dados para preveni-los a buscar o contrário, serão julgados da forma mais severa.

— Sem dúvida, tudo que falaste é verdade — concordou Esperançoso —, mas é uma misericórdia que nem você, nem especialmente eu tenhamos sido transformados em exemplo! Isso nos dá ocasião de agradecer a Deus, temê-Lo e sempre nos lembrarmos da mulher de Ló.

Então, eu os vi tomar o caminho para um rio de aspecto aprazível, o qual o rei Davi chamava de "rio de Deus", e João de "rio da água da vida"[184]. A trilha margeava o rio, e ali Cristão e seu companheiro de jornada caminharam com grande prazer. Beberam da água do rio, que tinha sabor agradável e revigorou seus espíritos cansados. Além disso, em ambas as margens do rio cresciam árvores carregadas com todos os tipos de frutas e cujas folhas eram medicinais. Eles se deliciaram com as frutas e comeram as folhas

---

[182] Gênesis 13:13: "Ora, eram maus os homens de Sodoma, e grandes pecadores contra o Senhor".

[183] Gênesis 13:10: "E levantou Ló os seus olhos, e viu toda a campina do Jordão, que era toda bem regada, antes de o Senhor ter destruído Sodoma e Gomorra, e era como o jardim do Senhor, como a terra do Egito, quando se entra em Zoar".

[184] Em Salmos 65:9, Revelações 22, Ezequiel 47.

para evitar as doenças que acometem aqueles que esquentam seu sangue por causa de viagens. Em ambas as margens do rio estendia-se uma campina enfeitada com lírios e que permanecia verdejante o ano todo. Nessa campina, eles deitaram e adormeceram, pois ali podiam dormir com segurança. Ao acordar, colheram novamente frutas das árvores, beberam de novo da água do rio, e uma vez mais, deitaram e dormiram[185]. E assim fizeram por alguns dias e noites. E assim cantavam:

> Vede como correm esses córregos de cristal
> Para acolher peregrinos, às margens da estrada real.
> Campinas verdes, doce fragrância, não há que se arguir
> Sobre as delicadezas dali; e aquele que puder distinguir
> As deliciosas frutas e perfumadas folhas dessa terra-lar,
> Logo tudo venderá para este campo poder comprar.

Dessa feita, quando se sentiram dispostos a continuar (pois ainda não estavam no final da jornada), comeram, beberam e partiram.

Vi, em meu sonho, que não haviam viajado muito quando o rio e a trilha se afastaram. Isso desagradou aos peregrinos, mas não ousaram se desviar do caminho. A trilha longe do rio era acidentada, e seus pés estavam sensíveis por causa das caminhadas. Por conta do caminho, os peregrinos ficaram muitos desencorajados[186]. Embora continuassem, desejavam uma senda melhor. Ora, um pouco à frente dos viajantes havia, à esquerda do caminho, um prado além da cerca que margeava a estrada e uma escada que permitia passar para o outro lado. O nome dessa campina era Atalho. Cristão voltou-se, então, ao companheiro e propôs:

---

[185] Salmos 23:2: "Deitar-me faz em verdes pastos, guia-me mansamente a águas tranquilas".
[186] Números 21:4: "Então partiram do monte Hor, pelo caminho do Mar Vermelho, a rodear a terra de Edom; porém, a alma do povo angustiou-se naquele caminho".

— Se esse prado acompanha nosso caminho, vamos por ele.

Desse modo, eles foram até a escada para melhor observar e viram uma trilha que seguia ao longo do caminho, do outro lado da cerca.

— É como eu queria! — falou Cristão. — Esta senda é mais fácil. Vem, meu bom Esperançoso, e vamos passar para o outro lado.

— Mas, e se essa trilha nos desviar do caminho? — ponderou Esperançoso.

— Não parece provável — retrucou Cristão. — Vês, ela não segue o nosso caminho?

Assim, Esperançoso foi persuadido por seu companheiro de jornada e subiu pela escada. Quando estavam do outro lado e começaram a caminhar, acharam a senda muito fácil. Adiante, avistaram um homem viajando como eles (seu nome era Vã-Consciência). Então, eles o chamaram e lhe perguntaram aonde aquela trilha levava.

— Ao Portão Celestial — respondeu ele.

— Vês — disse Cristão —, não falei? Isso confirma que estou certo.

Dessa maneira eles prosseguiram, o estranho adiante. Mas a noite caiu, e a escuridão a tudo envolveu, de modo que os que seguiam perderam de vista aquele que ia adiante.

E aquele que ia adiante, não vendo o caminho à sua frente, caiu num poço profundo[187], que ali havia sido colocado de propósito pelo Príncipe daquele lugar para apanhar os tolos cheios de vanglória. Por isso, Vã-Consciência se espatifou na queda.

Ora, Cristão e seu companheiro de viagem ouviram a queda. Chamaram por ele, para saber o que acontecera, mas não

---

[187] Isaías 9:16: "Porque os guias deste povo são enganadores, e os que por eles são guiados são destruídos".

O Peregrino

tiveram resposta; escutaram apenas um gemido. Esperançoso, então, perguntou:

— Onde estamos?

Mas seu companheiro ficou em silêncio, suspeitando que havia saído do caminho. Então, começou a chover e a trovejar e a relampejar de um modo aterrador. E a água começou a subir.

— Ah, como eu deveria ter mantido meu caminho! — lamentou Esperançoso.

— Quem poderia prever que esta trilha teria nos afastado do caminho? — disse Cristão.

— Temi por isso desde o início, por isso o preveni com timidez. Teria sido mais direto, mas tu és mais velho que eu.

— Não te ofendas, meu bom irmão — desculpou-se Cristão. — Lamento ter-te tirado do caminho e te colocado em perigo iminente. Rogo, meu irmão, perdoa-me. Não fiz isso com má intenção.

— Não te preocupes, meu irmão, pois eu te perdoo, e também acredito que isso aconteceu para o nosso bem.

— Fico feliz por ter comigo um irmão misericordioso, mas não devemos ficar aqui. Vamos tentar voltar.

— Sim. Porém, deixa-me ir na frente, meu bom irmão! — pediu Esperançoso.

— Não — recusou Cristão —, por favor, deixa-me ir na frente, de modo que, se houver algum perigo, que seja eu a sofrer, pois foi por minha causa que saímos do caminho.

— Não — retrucou Esperançoso —, tu não deves ir antes. Tua mente está perturbada e pode levar-te a perder o caminho de novo.

Então, eles ouviram uma voz dizendo:

— "Aplica o teu coração à vereda, ao caminho em que andaste: regressa."[188]

---

[188] **Jeremias 31:21:** "Levanta para ti sinais, faze para ti altos marcos, aplica o teu coração à vereda, ao caminho por onde andaste; volta, pois, ó virgem de Israel, regressa a estas tuas cidades".

No entanto, àquela altura, a água já havia subido muito, o que tornava o caminho de volta muito perigoso. (Penso que é mais fácil sair do caminho quando se está nele que voltar ao caminho quando se está fora dele.) Mesmo assim, eles se aventuraram a voltar. Estava, porém, tão escuro e a enchente tão alta, que enquanto retornavam, quase se afogaram nove ou dez vezes.

Naquela noite, tampouco conseguiram chegar de novo à escada. Por fim, puderam descansar sob um pequeno abrigo. Lá se sentaram esperando o dia nascer. Como, porém, estavam cansados, adormeceram. Mas, perto do lugar onde estavam, havia um castelo chamado Castelo da Dúvida, cujo dono era o gigante Desespero. Era em suas terras que eles dormiam, de modo que, acordando de manhã cedo e caminhando pelos seus campos, o gigante encontrou Cristão e Esperançoso adormecidos em sua propriedade. Com uma voz severa e ranzinza, ele os acordou e lhes perguntou quem eram e o que faziam em suas posses. Eles responderam que eram peregrinos e que haviam perdido seu caminho. Então, o gigante disse:

— Vós invadistes minhas terras ao caminhar e dormir na minha propriedade, por isso deveis vir comigo.

Dessa maneira, como o gigante era mais forte, eles foram forçados a ir. Também tinham pouco a dizer, pois sabiam que estavam errados. O gigante fez que os peregrinos fossem na frente até seu castelo, onde os colocou numa masmorra muito escura, asquerosa e malcheirosa[189]. Lá permaneceram de quarta-feira de manhã até o sábado à noite, sem um pedaço sequer de pão, ou uma gota d'água; sem luz ou alguém para lhes perguntar sobre suas condições. Estavam em maus lençóis e longe de amigos e conhecidos. Nesse lugar, Cristão sentiu um pesar redobrado, pois havia sido seu desavisado conselho que lhes acarretara essa aflição.

---

[189] **Salmos 88:18**: "Desviaste para longe de mim amigos e companheiros, e os meus conhecidos estão em trevas".

Os peregrinos, para se poupar,
Pegam um atalho, mas isso os levou a se afastar,
E lhes trouxe novos constrangimentos,
Pois quem pensa na carne só encontra sofrimentos.

John Bunyan

O gigante Desespero tinha uma esposa chamada Desconfiança. Quando se retiraram para dormir naquela noite, ele contou à esposa o que havia feito: capturado os prisioneiros e os lançado no porão por terem invadido sua propriedade. Então, perguntou o que seria melhor fazer com eles. A esposa indagou, por sua vez, quem eram eles, de onde provinham e para onde iam. E o gigante contou. Ela, então, aconselhou que quando acordasse, na manhã seguinte, lhes desse uma surra sem piedade. Desse modo, quando amanheceu, o gigante pegou um porrete de marmelo e foi até o calabouço. Começou a espancá-los como se fossem cães, mas eles não disseram sequer uma palavra de protesto. Depois, caiu sobre eles, esmurrando-os com tanta violência que não foram capazes de se esquivar ou de se erguer do chão. Feito isso, o gigante os deixou, e os dois ficaram condoendo-se de sua miséria e lamentando sua aflição. Desse modo, passaram o dia inteiro sem fazer nada além de suspirar e de lamentar amargamente. Na noite seguinte, a mulher voltou a falar sobre os prisioneiros, e ao saber que ainda estavam vivos, aconselhou o marido a lhes sugerir que se matassem. Desse modo, quando amanheceu, o gigante foi até os prisioneiros com a mesma disposição de antes, e percebendo que estavam muito machucados por causa da surra que lhes havia dado no dia anterior, disse-lhes que, como provavelmente nunca sairiam daquele lugar, a única forma de conseguir se livrar daquela situação era pondo um fim à sua vida, fosse com faca, corda ou veneno, pois disse ele:

— Por que escolher viver, se a vida será cheia de amarguras?

Mas eles lhe pediram que os deixasse ir. Ao ouvir isso, o gigante lhes lançou um olhar horrendo, e sem dúvida os teria matado ele mesmo se não houvesse tido um de seus ataques (pois, às vezes, quando o tempo estava ensolarado, ele tinha ataques) e perdido, por um tempo, o controle das mãos. Em seguida, retirou-se e os deixou como antes, para pensarem no que fazer. Então, os

O Peregrino

prisioneiros conversaram sobre se seria melhor seguir o conselho do gigante ou não. Começaram, pois, a falar:

— Irmão — disse Cristão —, o que devemos fazer? A vida a que estamos aqui condenados é miserável. Da minha parte, não sei o que é melhor, viver assim ou morrer. "Minha alma escolhe a forca em vez da vida", e o túmulo é melhor que esta masmorra[190]. Devemos aceitar o conselho do gigante?

— De fato, nossa presente condição é terrível — concordou Esperançoso —, e a morte seria mais bem-vinda que enfrentar isto para sempre. Mesmo assim, consideremos. O Senhor do país para o qual estamos indo disse, "Não matarás": não, não matarás outro homem, quanto mais matar-nos a nós mesmo. Estamos proibidos disso. Além do mais, aquele que mata o outro pode, no máximo, matar seu corpo. Mas tirar a própria vida é matar o corpo e a alma de uma só vez. Tu também falaste do alívio do túmulo, meu irmão, mas esqueceste do inferno, pois esse é o lugar para onde vão os assassinos. "Nenhum assassino conquistará a vida eterna." E, de novo, vamos considerar que nem toda lei está nas mãos do gigante Desespero. Outros, pelo que entendo, foram capturados por ele como nós, mas escaparam das suas mãos. Quem sabe Deus que fez o mundo possa trazer a morte ao gigante Desespero? Ou que, em algum momento, ele se esqueça de nos trancar? Ou que, em pouco tempo, ele possa ter outro desses ataques e perder o controle dos seus membros? E se isso voltar a acontecer, da minha parte, vou tirar toda a coragem que trago no meu coração e tentar fugir. Fui tolo de não ter tentado fazer isso antes. Mas sejamos pacientes, meu irmão, e aguentemos um pouco. Chegará a hora em que teremos uma feliz libertação, mas não sejamos nossos próprios assassinos.

---

[190] Jó 7:15: "Assim a minha alma escolheria antes a estrangulação; e antes a morte do que a vida".

Com essas palavras, Esperançoso apaziguou a mente do seu irmão. E assim continuaram juntos (na escuridão) durante aquele dia, naquela triste e dolorosa condição.

Ao anoitecer, o gigante desceu à masmorra de novo para ver se os prisioneiros haviam seguido seu conselho. Mas, ao entrar lá, encontrou-os vivos. Na verdade, apenas vivos. É que, pela falta de pão e de água e devido aos ferimentos que sofreram com as surras que receberam, podiam fazer pouco além de respirar. Contudo, o gigante os encontrou vivos e foi tomado por uma cólera cega. Disse que, como não haviam feito como ele aconselhara, podiam esperar o pior, de modo que desejariam nunca ter nascido.

Ouvindo essa ameaça, ambos começaram a tremer, e creio que Cristão chegou até mesmo a desmaiar. Voltaram, porém, um pouco a si e recomeçaram a conversar sobre o conselho do gigante e se não seria melhor segui-lo dessa vez. Uma vez mais, Cristão foi a favor de acatar, mas Esperançoso respondeu de novo, desse modo:

— Meu irmão, tu não te lembras do quanto foste valente antes. Apoliom não conseguiu esmagá-lo, nem todos que ouviste, ou viste, ou sentiste não puderam derrotar-te no Vale da Sombra da Morte. Por quantas dificuldades, quantos terrores e assombros passaste! E agora estás que és só medo! Vê que estou na masmorra contigo, um homem de natureza muito mais fraca que a tua. O gigante também me feriu tanto quanto a ti e também tirou o pão e a água da minha boca. E, com tu, sofro sem a luz. Mas tenhamos mais um pouco de paciência. Recorda a coragem que tiveste na Feira das Vaidades, sem temer os grilhões, a jaula, nem uma morte cruel. Por isso, vamos (ao menos para evitar a vergonha que não convém a um cristão) suportar com paciência o melhor que pudermos.

À noite, quando o gigante e sua esposa estavam na cama, ela quis saber sobre os prisioneiros e se eles haviam seguido o conselho. O marido respondeu:

— Eles são patifes obstinados e preferem enfrentar o sofrimento a tirar a própria vida.

— Então — disse a esposa —, traze-os ao pátio do castelo amanhã, mostra a eles os ossos e crânios daqueles que já mataste e dize-lhes que antes de a semana chegar ao fim, você também os fará em pedaços, como fizeste com as outras pessoas antes deles.

Assim, quando amanheceu, o gigante foi até os prisioneiros de novo e os levou ao pátio do castelo e lhes mostrou os ossos e crânios, conforme sua esposa dissera.

— Estes restos — disse ele — eram de peregrinos como vós, que invadiram minhas terras, como vós. E quando achei conveniente, eu os fiz em pedaços. Farei o mesmo convosco em dez dias. Vão de novo, agora, para vossa masmorra.

E, dito isso, o gigante os foi espancando ao longo do caminho de volta. Por isso, passaram o sábado deitados, num estado lamentável, como antes. À noite, a senhora Desconfiança e seu marido foram para a cama, e, de novo, começaram a falar sobre os prisioneiros. O velho gigante se perguntava por que não tinha conseguido, nem com suas pancadas nem com seu conselho, matá-los. A esposa, então, falou:

— Temo que tenham esperança de que alguém virá libertá-los, ou que tenham alguma chave falsa que lhes permita escapar.

— Pensas isso mesmo, querida? — indagou o gigante. — Então, vou revistá-los de manhã.

No sábado, por volta de meia-noite, os peregrinos começaram a orar, e assim continuaram até o raiar do dia. Um pouco antes do amanhecer, o bom Cristão, um tanto espantado, começou a falar de modo apaixonado:

— Que tolo fui eu ao ficar nesta masmorra fedorenta, quando posso me libertar quando quiser. Trago uma chave sobre meu peito chamada Promessa, que abre, acho eu, qualquer fechadura do Castelo da Dúvida.

— Que boa nova! — exclamou Esperançoso. — Bom irmão, tira-a de sobre teu peito e experimenta-a.

Assim, Cristão tirou a chave que levava sobre o peito e a testou na fechadura da masmorra, cuja tranca (quando ele girou a chave) cedeu, a porta se abriu facilmente e Cristão e Esperançoso saíram. Seguiram por um corredor que levava ao pátio do castelo, e com sua chave, Cristão também abriu aquela porta. Em seguida, dirigiram-se ao portão de ferro, que também precisava ser destrancado. Contudo, a fechadura era muito difícil de abrir. A chave, porém, conseguiu por fim abrir o portão. Então, escancararam-no para fugir com toda a pressa, mas, ao abrir, o portão rangeu tão alto que o barulho despertou o gigante. Desespero levantou-se com pressa e saiu em perseguição aos prisioneiros. Ele, porém, caiu, pois teve um de seus ataques e não conseguiu ir atrás dos peregrinos. Assim, eles escaparam e chegaram à estrada do rei uma vez mais, onde estavam seguros, já que haviam saído da jurisdição do gigante.

Ao chegar à escada, perguntaram-se o que fazer com ela para evitar que outros que por ali passassem caíssem nas mãos do gigante Desespero. Resolveram erigir uma coluna, onde escreveram a seguinte frase:

"Esta escada leva ao Castelo da Dúvida, de propriedade do gigante Desespero, que despreza o Rei do País Celestial e busca destruir seus santos peregrinos." Por conta disso, muitos que por ali passaram depois deles leram o que estava escrito e escaparam do perigo. Feito isso, Cristão e Esperançoso cantaram:

Para fora do caminho foram, e descobriram
O que é trilhar sendas que outros proibiram.
E quem vier, depois que se cuide,
Que preste atenção, não se descuide,
Pois quem invade suas terras, cai prisioneiro
Do senhor do Castelo da Dúvida, o gigante Desespero.

Os peregrinos continuaram viagem até chegarem às Montanhas Aprazíveis, que pertenciam ao Senhor daquela

O Peregrino

colina que mencionei antes. Logo começaram a subir as montanhas para ver os jardins e pomares, as vinhas e fontes d'água, nas quais beberam e lavaram-se, servindo-se livremente das videiras. No alto dessas montanhas, encontraram pastores apascentando seus rebanhos, à margem da estrada. Os peregrinos dirigiram-se até eles, e apoiando-se em seus cajados (como é comum fazerem os peregrinos cansados ao parar para conversar ao lado do caminho), perguntaram:

— A quem pertencem estas Montanhas Aprazíveis e quem é o dono dos rebanhos que apascentais?

— Estas montanhas são de Emanuel[191] e estão à vista da tua cidade. As ovelhas também são d'Ele, e Ele deu sua vida por elas[192].

— Este é o caminho para a Cidade Celestial?

— Sim, estais no rumo certo.

— E qual é a distância — perguntou Cristão.

— É longe para qualquer um, menos para aqueles que de fato chegarão — respondeu o pastor.

— O caminho é seguro ou perigoso? — indagou Cristão.

— É seguro para aqueles a quem deve ser seguro, mas os transgressores deverão nele cair[193].

— Há neste lugar algum conforto para peregrinos abatidos e fatigados em sua jornada? — quis saber ainda Cristão.

---

[191] Emanuel é um nome relacionado a Jesus, uma vez que o profeta Isaías afirmou: "Portanto o Senhor mesmo vos dará um sinal: eis que uma virgem conceberá, e dará à luz um filho, e será o seu nome Emanuel" (Isaías 7:14), e Mateus citou: "Eis que a virgem conceberá e dará à luz um filho, o qual será chamado Emanuel, que traduzido é Deus conosco" (Mateus 1:23).

[192] João 10:11: "Eu sou o bom Pastor; o bom Pastor dá a sua vida pelas ovelhas."

[193] Oseias 14:9: "Quem é sábio, para que entenda estas coisas? Quem é prudente, para que as saiba? Porque os caminhos do Senhor são retos, e os justos andarão neles, mas os transgressores neles cairão".

Montanhas Aprazíveis, ao cume ascendam!
Onde estão os pastores que recomendam
Coisas fascinantes, mas também mostram o terror
Para que os peregrinos continuem com fé e temor.

O Peregrino

— O Senhor destas montanhas nos incumbiu de sempre receber bem os estrangeiros, por isso, tudo que há de bom neste lugar está à disposição de vós[194] — afirmou o pastor.

Vi ainda, em meu sonho, que quando os pastores perceberam que os forasteiros eram peregrinos, também lhes fizeram perguntas, às quais eles responderam conforme já haviam feito em outros lugares. Perguntas como, "de onde sois?", ou "como entrastes no caminho?", e "como conseguistes perseverar até aqui?". Poucos haviam conseguido alcançar aquelas montanhas. Quando, porém, os pastores ouviram suas respostas, e tendo sido tocados, disseram com todo o carinho:

— Bem-vindos às Montanhas Aprazíveis.

Os pastores, cujos nomes eram Conhecimento, Experiência, Vigilante e Sincero, tomaram-nos pelas mãos e os conduziram até suas tendas, compartilhando com eles o que tinham à mão. Disseram aos peregrinos:

— Gostaríamos que ficásseis aqui durante algum tempo, para nos conhecermos melhor e também para que vos reconforteis com as boas coisas das Montanhas Aprazíveis.

Os viajantes assentiram e afirmaram que seria um prazer ficar. Então, foram todos descansar, porque já era muito tarde da noite.

Vi em meu sonho que, na manhã seguinte, os pastores acordaram Cristão e Esperançoso e foram andar com eles pelas montanhas. Caminharam durante algum tempo, aproveitando a vista agradável em qualquer direção. Então, os pastores se perguntaram:

— Vamos mostrar algumas maravilhas a esses peregrinos?

Tendo concluído que sim, levaram-nos primeiro ao cume de uma colina chamada Erro, que era muito íngreme na face oposta, e lhes disseram para olhar para baixo. Cristão e Esperançoso

---

[194] Hebreus 13:1-2: "Permaneça o amor fraternal. Não vos esqueçais da hospitalidade, porque por ela alguns, não o sabendo, hospedaram anjos".

aproximaram-se e olharam o precipício, vendo no fundo vários homens despedaçados pela queda que sofreram.

— O que significa isso? — quis saber Cristão.

— Não ouvistes falar daqueles que foram levados ao erro por terem ouvido Himeneu e Fileto[195] sobre a ressurreição do corpo[196]? — perguntaram os pastores.

— Sim — responderam os peregrinos.

— Pois bem — continuaram os pastores —, esses que vedes no fundo do precipício são eles. E continuam até hoje não enterrados, como podeis constatar, como exemplo a outros para que tomem cuidado ao subir demais, ou ao chegar demasiadamente perto da beira deste precipício.

Então, vi que os pastores levaram os peregrinos ao cume de outra montanha, cujo nome era Cautela, e lhes disseram para olhar ao longe. Ao fazer isso, perceberam vários homens perambulando entre os túmulos que lá havia. Notaram que os homens eram cegos, pois, às vezes, tropeçavam nas tumbas, sem conseguir se desviar delas.

— O que significa isso? — questionou Cristão.

— Não vistes, um pouco abaixo destas montanhas, uma escada que leva a um prado, na margem esquerda da estrada? — perguntaram os pastores.

— Sim — disseram os peregrinos.

— Daquela escada — prosseguiram os pastores — sai uma trilha que leva diretamente ao Castelo da Dúvida, cujo dono é o gigante Desespero, e aqueles — disse um deles, apontando para os túmulos ao longe — estavam em peregrinação, como vós, até

---

[195] De acordo com Paulo, dois apóstatas do cristianismo que espalhavam doutrinas falsas. São mencionados em 2 Timóteo 2:17.

[196] 2 Timóteo 2:17-18: "E a palavra desses roerá como gangrena; entre os quais são Himeneu e Fileto; os quais se desviaram da verdade, dizendo que a ressurreição era já feita, e perverteram a fé de alguns".

chegarem à escada. E como o caminho é acidentado naquele trecho, escolheram ir pelo prado e foram aprisionados pelo gigante Desespero e lançados na masmorra do Castelo da Dúvida, onde, depois de um tempo em que permaneceram como prisioneiros, foram cegados e levados até aqueles túmulos, onde o gigante os deixou a perambular até hoje. Assim, o ditado do sábio foi cumprido: "O homem que anda desviado do caminho do entendimento, na congregação dos mortos repousará"[197].

Cristão e Esperançoso se entreolharam, e lágrimas subiram-lhes aos olhos, mas eles nada disseram aos pastores.

Então, em meu sonho, vi que os pastores os levaram a outro local, no sopé das montanhas, onde havia uma porta num dos flancos da colina. Eles abriram a porta e instruíram os peregrinos a olhar lá dentro. Eles assim fizeram, e viram que o interior da câmera era muito escuro e enfumado. Também pensaram ter ouvido o som do crepitar, como o do fogo, e gritos de gente atormentada; sentiram, igualmente, cheiro de enxofre.

— Que lugar é este? — indagou Cristão.

— É um atalho para o inferno — explicaram os pastores —, um caminho que os hipócritas seguem. Gente que, como Esaú, vendeu seu direito de primogenitura[198], ou que, como Judas, vendeu seu mestre, ou que, como Alexandre, blasfemou contra o Evangelho, ou que mente e dissimula, como Ananias e Safira[199], sua mulher.

— Vejo que todos eles eram peregrinos, como somos agora, não eram? — perguntou Esperançoso.

---

[197] Provérbios 21:16.

[198] Tradição por meio da qual a herança de toda a riqueza, estado ou cargo dos pais passa ao primeiro filho, ou, na falta de um descendente direto, a parentes próximos, de forma a manter o status da linhagem familiar.

[199] Em Atos 5:, Ananias e Safira, membros da igreja primitiva, mentem a Pedro sobre a doação que fizeram à Igreja, pois, apesar de afirmar que doavam tudo o que possuíam, retinham parte para eles. Pedro afirma que estavam mentindo para Deus e, como castigo, marido e mulher são fulminados.

— Sim, e assim foram durante muito tempo — disseram.

— Quanto avançaram em sua peregrinação até se perderem assim, de modo tão miserável? — tornou a questionar Esperançoso.

— Alguns foram além destas montanhas; outros, não tão longe — informaram os pastores.

Ouvindo isso, os peregrinos disseram um ao outro:

— Precisamos orar pedindo forças ao Poderoso.

— Sim, e precisareis usá-la, quando a tiverem.

A essa altura, os peregrinos desejaram continuar a viagem, e os pastores também concordaram que eles deviam assim proceder. Assim, caminharam juntos até o fim das montanhas. Os pastores disseram uns aos outros:

— Se eles conseguirem usar nossa luneta, mostraremos aos peregrinos os portões da Cidade Celestial.

Agradecidos, os peregrinos aceitaram o convite. Desse modo, os pastores os levaram ao cume de uma colina alta, chamada Clara, e lhes deram a luneta para olhar. Os viajantes tentaram olhar através das lentes, mas a lembrança da última coisa que os pastores lhes tinham mostrado deixou suas mãos trêmulas. Por conta disso, não conseguiram olhar fixamente. Mesmo assim, pensaram ter visto algo que parecia um portão, e também vislumbraram um pouco da glória do lugar. Então, partiram cantando esta canção:

> Os pastores revelaram segredos
> Que de nós estão como que em degredo.
> Vem, então, até os pastores, se quiseres ver
> Coisas profundas, ocultas — coisas do misterioso ser.

Quando estavam para partir, um dos pastores lhes deu um papel com anotações sobre o caminho. Outro lhes disse para tomarem cuidado com o Bajulador. O terceiro, para não dormirem

O Peregrino

no Terreno Encantado. O último lhes desejou a proteção de Deus. Então, despertei do meu sonho.

E eu dormi de novo e voltei a sonhar e vi os dois peregrinos descendo a montanha pela estrada rumo à cidade. Um pouco abaixo dessas montanhas, à esquerda, ficava o país da Presunção. Essa terra era cruzada por uma estrada sinuosa que atravessava o caminho dos peregrinos. Ali, eles encontraram um rapaz lépido que provinha daquele país. Seu nome era Ignorância. Cristão perguntou a ele de onde provinha e para onde ia.

— Nasci naquela terra que fica à esquerda da estrada e estou indo para a Cidade Celestial — disse Ignorância.

— Mas, como pretende entrar pelo portão, caso lá encontre alguma dificuldade? — continuou a perguntar Cristão.

— Do mesmo modo que os outros.

— Mas, o que tens para mostrar no portão para que lhe seja aberto? — quis saber Cristão.

— Conheço a vontade do meu Senhor e tenho vivido de acordo com ela. Pago o que devo a todos os homens, oro, jejuo, pago tributo, dou esmolas e deixei meu país para tomar o rumo que agora sigo.

— Mas, não entraste pela porta estreita na estrada deste caminho — observou Cristão. — Pegaste este caminho pela estrada sinuosa e, por isso, temo eu, não importa o que penses de ti mesmo, quando o dia do Juízo vier, serás acusado de ladrão e larápio, em vez de ser admitido na cidade.

— Cavalheiros, vós sois completamente estranhos a mim; eu não vos conheço — retrucou Ignorância. — Contentai-vos em seguir a religião do teu país, e eu seguirei a do meu. Espero que tudo fique bem. Com relação à porta sobre o qual falaste, todo o mundo sabe que fica muito distante daqui. Não posso imaginar que qualquer conterrâneo meu conheça o caminho até lá, ou sequer que se importe em conhecê-lo ou não, pois temos, como podeis ver, uma agradável alameda verdejante que sai do meu país e vem dar diretamente aqui.

JOHN BUNYAN

Cristão percebeu que o homem era um desses que se consideram sábio sem o ser, e sussurrou a Esperançoso:

— Há mais esperança num tolo do que nele[200] — e acrescentou:

— E mesmo quando o tolo vai pelo caminho, falta-lhe o entendimento e diz a todos que é tolo[201]. O que devemos fazer? Prosseguir com ele ou ir adiante, deixando-o para refletir sobre o que ouviu, e então, parar mais adiante para esperá-lo e ver se podemos ajudá-lo?

Como resposta, Esperançoso recitou:

— Que Ignorância pense agora para anuir
Sobre o que ouviu; e não o deixemos repelir
Os bons conselhos, para não continuar
A ignorar a maior coisa a conquistar.
Deus fala, mas aqueles que compreensão
Não têm jamais alcançarão a salvação.

E acrescentou:

— Não acho que seja bom falarmos tudo para ele de uma só vez. Vamos adiante, se quiseres, e conversaremos com ele mais tarde, se Ignorância for capaz de absorver o que temos a dizer.

Assim, os dois continuaram, e Ignorância seguiu atrás. Quando abriram alguma distância sobre ele, entraram numa alameda muito escura, onde encontraram um homem a quem sete diabos haviam amarrado com sete cordas fortes. Ele estava sendo levado pelos demônios de volta à porta que os peregrinos haviam visto no sopé das montanhas[202]. Ao testemunhar a cena, o bom Cristão e

---

[200] **Provérbios 26:12:** "Tens visto o homem que é sábio a seus próprios olhos? Pode-se esperar mais do tolo do que dele".

[201] **Eclesiastes 10:3.**

[202] **Mateus 12:45:** "Então vai, e leva consigo outros sete espíritos piores do que ele e, entrando, habitam ali; e são os últimos atos desse homem piores do que os primeiros. Assim acontecerá também a esta geração má".

seu companheiro Esperançoso começaram a tremer. Enquanto os demônios carregavam o homem, Cristão olhou bem para ver se o conhecia e pensou que talvez fosse certo Desviado, que morava na cidade de Apostasia. Mas ele não conseguiu observar direito o rosto, pois o prisioneiro tentava esconder a face como um ladrão quando é exposto. Quando, porém, passou por eles, Esperançoso distinguiu, preso às suas costas, um papel com uma inscrição em que se lia: "Professor libertino e apóstata condenável".

Cristão, então, comentou com seu companheiro:

— Agora me lembro de algo que me contaram sobre o que aconteceu com um bom homem por aqui. Seu nome era Pouca-Fé, uma pessoa de bem que vivia na cidade Sinceridade. Aconteceu o seguinte: à entrada dessa passagem, sai do Portão Largo uma alameda chamada Alameda do Morto, assim denominada por conta dos assassinatos que lá ocorrem com frequência. E estando esse Pouca-Fé em peregrinação, como estamos agora, sentou-se aqui para descansar e acabou dormindo. Acontece que, nesse momento, chegavam pela alameda, provenientes do Portão Largo, três fortes vigaristas chamados Covardia, Desconfiança e Culpa. Os três eram irmãos. Vendo Pouca-Fé, correram para abordá-lo. O bom homem estava acordando e levantando-se para retomar sua jornada. Os três se aproximaram, e com ameaças, ordenaram que ele se erguesse. Diante disso, Pouca-Fé ficou branco como um pedaço de papel e perdeu as forças, tanto para fugir como para lutar.

— Entrega a bolsa! — mandou Covardia.

Mas Pouca-Fé não se apressou (pois não queria perder seu dinheiro), por isso, Desconfiança correu até ele, e enfiando sua mão no bolso da vítima, tirou de lá um saco de moedas de prata.

— Ladrões! Ladrões! — gritou Pouca-Fé.

Culpa, então, acertou-o na cabeça com um porrete que tinha na mão. O golpe derrubou Pouca-Fé, que caiu no chão e lá ficou, sangrando quase morto. Os assaltantes ficaram onde estavam por um tempo, mas, ouvindo que alguém chegava pela estrada e temendo que fosse certo Grande-Graça, que vive na Cidade da Boa Confiança, fugiram e deixaram o bom homem por conta própria. Depois de um tempo, Pouca-Fé se recobrou, e levantando-se, saiu cambaleando pelo caminho. E essa é a história.

— Mas eles levaram tudo que ele tinha? — indagou Esperançoso.

— Não. Não encontraram o lugar onde ele escondia suas joias, por isso as deixaram. Mas, conforme me disseram, o bom homem ficou muito aflito por causa de sua perda, pois os ladrões levaram grande parte do dinheiro que ele tinha para suas despesas. Só não levaram as joias (pelo que eu soube) e um pouco de dinheiro que não estava na bolsa. Contudo, não bastava para provê-lo até o fim da sua jornada[203]. Pelo que me disseram, ele teve que mendigar pelo caminho para se manter vivo, pois não podia vender suas joias. Assim, teve que esmolar e fazer o que pôde ao longo da estrada e viajar com fome pelo resto da trilha.

— Mas, não é incrível que eles não tenham roubado seu certificado, por meio do qual ele será admitido no Portão Celestial? — comentou Esperançoso.

— Sim, é incrível — concordou Cristão —, mas eles não o roubaram, embora não devido à astúcia de Pouca-Fé, pois ele, assustado com o assalto, não tinha nem força nem condição de esconder qualquer coisa. Foi mais por conta da boa Providência que por seu esforço que os ladrões não encontraram o certificado.

— Mas deve ter sido um consolo para ele não terem levado suas joias — observou Esperançoso.

— Teria sido um grande consolo para ele se as houvesse usado como deveria. Mas os que me contaram a história disseram que

---

[203] 1 Pedro 4:18: "E, se o justo apenas se salva, onde aparecerá o ímpio pecador?".

ele fez pouco uso do certificado pelo resto do caminho, e isso porque ficou muito abatido por terem roubado seu dinheiro. Na verdade, esqueceu-se dele pela maior parte do resto da jornada. Além disso, a toda hora que se lembrava e começava a sentir-se reconfortado, pensamentos da sua perda lhe surgiam à mente e voltavam a abatê-lo[204].

— Pobre homem! — compadeceu-se Esperançoso. — Isso lhe causou grande sofrimento.

— Sim, muito sofrimento! Qualquer um de nós, mesmo se estivéssemos acostumados, que fosse roubado e ferido como ele foi, e num lugar estranho, não sentiria o mesmo? É incrível ele não ter morrido por conta do sofrimento, coitado! Disseram-me que ele passou o resto do caminho entre lamentos aflitos e amargos, contando a todos que encontrava pelo caminho onde e como havia sido roubado, quem o havia assaltado, o que havia perdido, como fora ferido e como mal escapara com vida.

— Mas é inacreditável que, apesar da necessidade, ele não tenha vendido nem empenhado algumas de suas joias, de modo a poder subsistir durante a viagem — ponderou Esperançoso.

— Falas como aquele que tem a cabeça dura, pois o que poderia empenhar, ou para quem poderia vender? No país onde ele foi roubado, as joias não tinham valor. Tampouco ele desejava a subsistência que poderia ter conseguido. Além disso, se houvesse perdido suas joias à entrada do Portão Celestial, teria (e disso ele sabia muito bem) perdido o direito a qualquer herança a ele reservada naquele lugar. E isso teria sido pior que o assalto e a maldade de dez mil ladrões.

— Por que estás tão azedo, meu irmão? — protestou Esperançoso. — Esaú vendeu seu direito à primogenitura por uma panela de sopa, e o direito à primogenitura era sua maior

---

[204] 1 Pedro 1:9: "Alcançando o fim da vossa fé, a salvação das vossas almas".

joia. E se ele assim fez, por que Pouca-Fé também não poderia ter feito o mesmo[205]?

— Esaú realmente vendeu seu direito à primogenitura — admitiu Cristão —, e muitos outros também o fizeram; e ao fazer isso, excluíram-se da bênção maior, como fez aquele infeliz. Mas há uma diferença entre Pouca-Fé e Esaú, e também entre suas posses. O direito à primogenitura de Esaú era típico, mas as joias de Pouca-Fé, não. O estômago de Esaú era seu deus, mas não o de Pouca-Fé. Esaú queria satisfazer seu apetite; Pouca-Fé, não. Além do mais, Esaú não via nada além do desejo de satisfazer seus desejos. "E disse Esaú: Eis que estou a ponto de morrer; para que me servirá a primogenitura?"[206] Mas Pouca-Fé, embora fosse homem de pouca fé, foi mantido longe dessas extravagâncias por causa dessa pouca fé e valorizou suas joias a ponto de não as vender, como fez Esaú com seu direito de primogenitura. Não se lê em nenhum lugar que Esaú tinha fé, nem mesmo um pouco. Assim, não é de se estranhar que onde a carne domina (como acontece com o homem que não tem fé), ele venda seu direito de primogenitura, assim como sua alma e tudo mais, para o diabo do inferno, pois ele é como um jumento quando empaca[207]. Quando a mente só pensa em sua luxúria, a pessoa faz qualquer coisa, a qualquer preço, para satisfazê-la. Mas Pouca-Fé era de temperamento diferente: sua mente voltava-se às coisas divinas. Construiu sua vida sobre coisas espirituais e superiores. Então, com que fim alguém com tal temperamento venderia suas joias (caso houvesse alguém para comprá-las) para encher a cabeça com coisas vãs? Um homem

---

[205] **Hebreus 12:16**: "E ninguém seja devasso, ou profano, como Esaú, que por uma refeição vendeu o seu direito de primogenitura".

[206] **Gênesis 25:32**.

[207] **Jeremias 2:24**: "Jumenta montês, acostumada ao deserto, que, conforme o desejo da sua alma, sorve o vento, quem a deteria no seu cio? Todos os que a buscarem não se cansarão; no mês dela a acharão".

pagaria, mesmo que um centavo, para comer feno? Ou o pombo poderia comer carniça, como o corvo? Aqueles, porém, que não têm fé podem, para satisfazer suas paixões carnais, empenhar, ou arrendar, ou vender sem pestanejar o que têm e a si mesmos. No entanto, se tiverem fé, mesmo que pouca, não o farão. Este, meu irmão, é teu erro.

— Reconheço que tens razão, mas tua reflexão severa quase me aborreceu — admitiu Esperançoso.

— Ora, nada fiz além de comparar-te com alguns pássaros lépidos, desses que correm para cima e para baixo nas trilhas inexploradas com a concha sobre a cabeça — explicou Cristão. — Mas deixa isso de lado e tudo ficará bem entre nós.

— Mas Cristão, esses três rapazes, sinto isso em meu coração, são um bando de covardes. Se não fosse assim, teriam fugido como fugiram ao ouvir o barulho de alguém vindo pela estrada? Por que Pouca-Fé não foi mais corajoso? Ele poderia, acho eu, tê-los enfrentado e cedido, caso não tivesse mais jeito.

— Que eram covardes muitos já disseram, mas poucos pensam assim na hora do julgamento. Quanto a ter mais coragem, Pouca-Fé não tinha nenhuma. Na verdade, meu irmão, se estivesses naquela situação, também não oferecerias resistência. De fato, como estão longe de nós, tu demonstras essa disposição, mas se aparecessem agora, provavelmente repensarias tua opinião.

— Mas, pensas o seguinte — prosseguiu Cristão —, são salteadores de estradas, servos do rei do poço sem fundo, e este, se preciso for, virá ele mesmo em seu auxílio, e sua voz é como o rugido de um leão[208]. Eu mesmo me vi numa situação semelhante à de Pouca-Fé e foi terrível. Três patifes sobre mim, e eu comecei a resistir, como um cristão. Eles chamaram uma única vez, e seu mestre apareceu.

---

[208] 1 Pedro 5:8: "Sede sóbrios; vigiai; porque o diabo, vosso adversário, anda em derredor, bramando como leão, buscando a quem possa tragar".

Como diz o ditado, eu teria dado minha vida por um centavo, mas Deus quis que eu estivesse envergando uma armadura. E, embora eu estivesse assim equipado, foi difícil encontrar coragem. Ninguém pode dizer o que nos espera num combate, a não ser aquele que já esteve numa batalha.

— Sim, mas vês, eles fugiram quando acharam que era esse Grande-Graça chegando pela estrada — observou Esperançoso.

— É verdade. Eles quase sempre fogem, tanto eles quanto seu mestre, quando Grande-Graça aparece. E não é de se espantar, pois ele é o campeão do Rei. Mas acho que irás dizer que há alguma diferença entre Pouca-Fé e o campeão do Rei. Os súditos do Rei não são seus campeões, não conseguem, em batalha, executar atos de guerra como o legítimo campeão. É razoável achar que uma criancinha poderia derrotar Golias, como fez Davi? Ou que um passarinho possa ser tão forte quanto um touro? Alguns são fortes; outros, fracos. Alguns têm muita fé; outros pouca. Esse homem era do tipo fraco, e, por isso, sucumbiu.

— Espero que tenha sido mesmo Grande-Graça que apareceu.

— Se houvesse sido, ele teria tido trabalho — disse Cristão —, pois, embora Grande-Graça seja excelente com suas armas e pode, e tem conseguido até agora, mantê-los na ponta da espada, se conseguirem atacá-lo em conjunto, mesmo que seja Covardia ou Desconfiança, ou outro qualquer, podem derrubá-lo. E quando um homem está no chão, o que é capaz de fazer?

— Quem observar bem o rosto de Grande-Graça — continuou Cristão — verá tantos ferimentos e cicatrizes que entenderá o que digo. Sim, certa vez, ouvi dizer que ele exclamou, quando estava no meio de um combate: "Perdemos a esperança da própria vida"[209].

---

[209] **2 Coríntios 1:8**: "Porque não queremos, irmãos, que ignoreis a tribulação que nos sobreveio na Ásia, pois que fomos sobremaneira agravados mais do que podíamos suportar, de modo tal que até da vida desesperamos".

Como esses patifes corpulentos e seus camaradas fizeram Davi gemer, lamentar e berrar? Sim, Hemã e Ezequias[210], embora fossem campeões, também foram forçados a enfrentá-los quando foram por eles atacados. E, apesar de seus esforços, foram derrotados. Certa vez, Pedro tentou o melhor que pôde, mas, apesar de dizerem que Grande-Graça é o príncipe dos apóstolos, eles tanto o pressionaram que ele chegou a temer uma pobre moça[211].

— Além do mais — prosseguiu Cristão —, seu rei está atento ao seu chamado. Ele sempre está ao alcance de seus súditos, e sempre que eles estão em perigo, se possível, vai ajudá-los. E dele se diz: "Se alguém lhe tocar com a espada, essa não poderá penetrar, nem lança, dardo ou flecha. Ele considera o ferro como palha, e o cobre como pau podre. A seta não o fará fugir; as pedras das fundas se lhe tornam em restolho. As pedras atiradas são para ele como arestas, e ri-se do brandir da lança"[212]. O que pode alguém fazer nesse caso? É verdade que se alguém puder montar o cavalo de Jó[213], se tiver capacidade e coragem de cavalgá-lo, poderá realizar coisas notáveis. Pois: "Ou darás tu força ao cavalo, ou revestirás o seu pescoço com crinas? Ou espantá-lo-ás, como ao gafanhoto? Terrível é o fogoso respirar das suas ventas. Escarva a terra, e folga na sua força, e sai ao encontro dos armados. Ri-se do temor, e não se espanta, e não torna atrás por causa da espada. Contra ele rangem a aljava, o ferro flamante da lança e do dardo. Agitando-se e indignando-se, serve a terra, e não faz caso do som da buzina. Ao soar das

---

[210] Ezequias foi o 13º rei de Judá, tendo reinado de 726 a 697 a.C.; Hemã foi um dos três levitas nomeados pelo rei Davi como ministros da música.

[211] Bunyan aqui se refere à criada diante de quem Pedro negou a Cristo; conforme Mateus 26:69-72 e Lucas 22:56-57.

[212] Jó 41:26-29.

[213] O Cavalo de Jó é uma metáfora de força e coragem usada em Jó 39:19-25 (ver nota 210).

buzinas diz: Eia! E cheira de longe a guerra, e o trovão dos capitães, e o alarido"[214].

— Mas para os soldados de infantaria — seguiu Cristão —, como eu e tu, que lutamos a pé, que nunca desejemos encontrar o inimigo, nem nos vangloriarmos como se fôssemos capazes de fazer melhor quando ouvirmos sobre outros que foram prejudicados, nem nos vangloriar com pensamentos sobre nossa coragem, pois aqueles que o fazem quase sempre fazem o pior quando postos à prova. Vê Pedro, a quem mencionei antes. Ele se gabava, sim, e como! Ele disse, por conta de sua mente vã, que faria seu melhor e que defenderia seu Mestre mais que qualquer outro. Mas quem, senão ele, acabou sendo frustrado e oprimido por esses vilões? Quando, portanto, ouvimos falar que esses assaltos acontecem na estrada do rei, devemos fazer duas coisas:

1. A primeira é sair armado e não esquecer o escudo, pois foi por falta disso que tão vigorosamente atacou Leviatã e não foi capaz de derrotá-lo. De fato, se não estivermos armados com escudo e armadura, ele não nos temerá nem um pouco. Foi por isso que o sábio nos disse: "Tomando sobretudo o escudo da fé, com o qual podereis apagar todos os dardos inflamados do maligno"[215].

2. Também é bom que peçamos a proteção do Rei, para que ele mesmo nos acompanhe. Isso fez Davi exultar no Vale da Sombra da Morte, e Moisés preferia morrer onde estava a dar um passo sem seu Deus[216]. Ah, meu irmão, se Ele nos

---

[214] Jó 39:19-25.

[215] Efésios 6:16: "Tomando sobretudo o escudo da fé, com o qual podereis apagar todos os dardos inflamados do maligno".

[216] Êxodo. 33:15: "Então lhe disse: Se tu mesmo não fores conosco, não nos faças subir daqui".

O Peregrino

acompanha, por que precisaríamos temer dez mil que se colocam contra nós[217]? Mas sem Ele, "os altivos auxiliadores caem sob o golpe"[218].

— Da minha parte — disse Cristão, dando continuidade à sua reflexão —, já estive no combate. E apesar disso, embora pela Sua bondade eu esteja vivo, como podes ver, não posso me gabar de valentia. Eu ficaria feliz se não mais encontrasse esses brutamontes, apesar de que temo não estarmos livres de todo o perigo. Entretanto, como o leão e o urso ainda não me devoraram, rogo a Deus para que Ele também nos livre do próximo filisteu incircunciso que encontrarmos.

Então, Cristão cantou:

> *Pobre Pouca-Fé! Enfrentou ladrões descrentes?*
> *Foi atacado? Mas lembrai-vos os crentes,*
> *Cultivai a fé e vitória tereis — e de modo viril.*
> *E não sobre apenas três, mas sobre dez mil.*

Assim, prosseguiram, com Ignorância atrás. Continuaram até chegar a um local onde havia uma bifurcação, com os dois caminhos igualmente retos. Os dois não sabiam que trilha tomar, pois ambas as sendas pareciam iguais. Então, pararam para ponderar. E enquanto pensavam sobre o caminho, viram um homem de pele negra, mas vestido com um manto muito leve, que se aproximou deles e perguntou o que faziam lá parados. Os peregrinos

---

[217] **Salmos 3:5-8**: "Eu me deitei e dormi; acordei, porque o Senhor me sustentou. Não temerei dez milhares de pessoas que se puseram contra mim e me cercam. Levanta-te, Senhor; salva-me, Deus meu; pois feriste a todos os meus inimigos nos queixos; quebraste os dentes aos ímpios. A salvação vem do Senhor; sobre o teu povo seja a tua bênção". (Selá).

[218] **Isaías 10:4**: "Sem que cada um se abata entre os presos, e caia entre mortos? Com tudo isto a sua ira não cessou, mas ainda está estendida a sua mão".

responderam que iam até a Cidade Celestial, mas não sabiam qual caminho tomar.

— Segui-me — disse o homem. — Estou indo para lá.

Desse modo, eles o seguiram por uma trilha que se afastava do caminho e os distanciava da cidade a que desejavam ir. Em pouco tempo, rumavam para a direção oposta. Mesmo assim, continuaram a seguir o desconhecido. Sem que percebessem, ele os levou até uma rede, na qual caíram, e assim enredados, ficaram sem saber o que fazer. O homem negro deixou o manto branco cair de suas costas. E eles viram onde estavam. E ali ficaram lamentando-se por algum tempo, pois não podiam se libertar.

Cristão disse a seu companheiro:

— Agora percebo meu erro. Acaso os pastores não haviam avisado para termos cuidado com os bajuladores? Conforme diz o sábio, foi isso que encontramos hoje: "O homem que lisonjeia seu próximo arma uma rede aos seus passos"[219].

— Eles também nos deram anotações sobre o caminho a seguir para que não saíssemos dele, mas esquecemos de consultá-las e não evitamos as trilhas do destruidor — disse Esperançoso. — Aqui, Davi foi mais sábio que nós, pois ele disse: "Quanto ao trato dos homens, pela palavra dos teus lábios me guardei das veredas do destruidor"[220].

Assim, eles ficaram se lamentando na rede. Por fim, viram que um Ser Resplandecente se aproximava deles com um chicote curto na mão. Ao aproximar-se, perguntou de onde provinham e o que faziam lá. Responderam que eram peregrinos indo para Sião, mas foram levados a perder o caminho por um homem negro vestido de branco que lhes disse para segui-lo, pois estava indo para a mesma cidade que eles.

---

[219] Provérbios 29:5.

[220] Salmos. 17:4: "Quanto ao trato dos homens, pela palavra dos teus lábios me guardei das veredas do destruidor".

O Peregrino

— Ele se chama Bajulador — disse o estranho com o chicote na mão. — É um falso apóstolo que se transformou em anjo de luz[221].

Então, ele cortou a rede, soltou os peregrinos e lhes falou:

— Segui-me, que vou levá-los de volta ao caminho certo.

Desse modo, ele os levou de novo até a bifurcação onde haviam encontrado Bajulador. Lá, perguntou-lhes:

— Onde passastes a última noite?

Eles responderam que passaram com os pastores, nas Montanhas Aprazíveis. E o Ser Resplandecente quis saber se eles não haviam recebido orientações sobre o caminho dos pastores. Os peregrinos disseram que sim.

— Mas não consultastes o mapa quando pararam? — insistiu o estranho.

— Não — admitiram.

— Por quê?

— Nós nos esquecemos.

— Os pastores não vos preveniram sobre o Bajulador?

— Sim, mas não imaginávamos que esse homem de fala mansa podia ser ele[222].

Então, vi em meu sonho que o desconhecido mandou que os peregrinos se deitassem. E assim que o fizeram, ele os açoitou para lhes ensinar o bom caminho que deveriam trilhar[223]. E enquanto os açoitava, dizia: "Tanto quanto amo, eu repreendo e castigo. Sejais zelosos, portanto, e arrependei-vos"[224]. Feito isso, ele lhes disse que

---

[221] Provérbios. 29:5.

[222] Romanos 16:18: "Porque os tais não servem a nosso Senhor Jesus Cristo, mas ao seu ventre; e com suaves palavras e lisonjas enganam os corações dos simples".

[223] Deuteronômio 25:2: "E será que, se o injusto merecer açoites, o juiz o fará deitar-se, para que seja açoitado diante de si; segundo a sua culpa, será o número de açoites".

[224] 2 Crônicas 6:26-27: "Quando os céus se fecharem, e não houver chuva, por terem pecado contra ti, e orarem neste lugar, e confessarem teu nome, e se converterem dos seus pecados, quando tu os afligires, Então, ouve tu desde os céus, e perdoa o pecado de teus servos, e do teu povo Israel, ensinando-lhes o bom caminho, em que andem; e dá chuva sobre a tua terra, que deste ao teu povo em herança".

retomassem o caminho e que prestassem atenção às instruções dos pastores. Assim, os viajantes lhe agradeceram por sua bondade e seguiram no rumo certo, cantando:

> Vem aqui, tu que o caminho vais percorrer,
> Vê como os peregrinos foram se perder.
> Capturados numa rede em meio à peregrinação,
> Por terem esquecido de seguir a boa orientação.
> É verdade que foram resgatados da estranha cela,
> Mas acabaram açoitados. Que isso lhes ensine cautela.

Depois de caminharem por um tempo, perceberam, na distância, um homem só andando suavemente pela estrada, na direção dos peregrinos.

— Vê: ao longe vem ao nosso encontro um homem de costas para Sião — disse Cristão.

— Sim — concordou Esperançoso —, mas vamos ficar atentos, caso ele também seja um bajulador.

Desse modo, o estranho se aproximou cada vez mais até finalmente abordá-los. Seu nome era Ateu e lhes perguntou para onde estavam indo.

— Estamos indo para o monte Sião — informou Cristão.

Ao ouvir isso, Ateu começou a rir.

— Por que estás rindo? — quis saber Cristão.

— Rio porque vós sois pessoas ignorantes por empreender uma jornada tão entediante, na qual nada compensará os sofrimentos da viagem.

— Por que, homem? — indagou Cristão. — Achas que não seremos recebidos?

— Recebidos! Não existe nenhum lugar neste mundo igual a esse com o qual sonhais.

— Existe no mundo vindouro — redarguiu Cristão.

— Quando eu estava em meu país, ouvi falar sobre isso que estás dizendo — contou Ateu. — Então, saí em busca desse lugar e continuei a procurar essa cidade durante vinte anos, mas, desde o primeiro dia, não achei nada[225].

— Nós dois ouvimos sobre esse lugar e acreditamos poder encontrá-lo — falou Cristão.

— Se eu não houvesse acreditado, não teria viajado tanto à sua procura. No entanto, como não encontrei nada (se de fato existisse, eu o teria encontrado, pois viajei ainda mais que vós), estou voltando, e buscarei me confortar nas coisas que então abandonei, trocando por elas as esperanças que agora sei que não existem.

— É verdade o que esse homem diz? — perguntou Cristão a Esperançoso.

— Presta atenção, ele é um dos bajuladores — disse Esperançoso. — Lembra o que nos custou termos dado atenção a uma dessas pessoas. Qual o quê! Monte Sião? Não vimos os portões da cidade nas Montanhas Apraziveis? E não devemos também andar na fé? Vamos continuar, antes que o homem com o açoite nos alcance de novo[226]. Tu deverias ter me ensinado a lição que agora sussurro ao teu ouvido: "Filho meu, ouvindo a instrução, cessa de te desviares das palavras do conhecimento"[227]. Eu digo, meu irmão, paremos de ouvi-lo e vamos "acreditar na salvação da alma"[228].

— Meu irmão, não coloquei a questão a ti porque eu duvidava da verdade de nossa crença, mas provar-te e para colher o fruto da honestidade do teu coração — justificou Cristão. — Quanto

---

[225] **Jeremias 22:12:** "Mas no lugar para onde o levaram cativo ali morrerá, e nunca mais verá esta terra". **Eclesiastes 10:15:** "O trabalho dos tolos a cada um deles fatiga, porque não sabem como ir à cidade".

[226] **2 Coríntios 5:7:** "(Porque andamos por fé, e não por vista)".

[227] **Provérbios 19:27:** "Filho meu, ouvindo a instrução, cessa de te desviares das palavras do conhecimento".

[228] **Hebreus 10:39:** Nós, porém, não somos daqueles que se retiram para a perdição, mas daqueles que creem para a conservação da alma".

a esse homem, sei que foi cegado pelo deus deste mundo. Vamos, nós dois, sabendo que acreditamos na verdade e que "nenhuma mentira provém da verdade"[229].

— Regozijo-me na esperança da glória de Deus! — exclamou Esperançoso.

Assim, eles deixaram o homem, e este, rindo deles, seguiu seu caminho.

Em meu sonho, vi que os dois peregrinos continuaram até chegar a uma região onde o ar deixava os forasteiros sonolentos. Ali, Esperançoso sentiu-se entorpecido e pesado de sono.

— Estou com tanto sono que mal consigo manter os olhos abertos — disse a Cristão. — Vamos deitar aqui um pouco e tirar um cochilo.

— De modo algum! — replicou Cristão. — Se dormirmos aqui, jamais acordaremos.

— Por que, meu irmão? O sono é bom para o homem cansado, e poderemos recomeçar a viagem descansados, se cochilarmos.

— Não te lembras que um dos pastores nos disse para termos cuidado com o Terreno Encantado? Ele avisou que deveríamos evitar dormir: "Não durmamos, pois, como os demais, mas vigiemos, e sejamos sóbrios"[230].

— Reconheço que errei, e se estivesse aqui sozinho, teria, ao dormir, corrido risco de morte — concordou Esperançoso. — Vejo que é verdade o que disse o sábio: dois são melhores que um; portanto, que tua companhia seja minha misericórdia e que sejas recompensado pelo teu trabalho[231].

---

[229] 1 João 2:21: "Não vos escrevi porque não soubésseis a verdade, mas porque a sabeis, e porque nenhuma mentira vem da verdade".

[230] 1 Tessalonicenses 5:6.

[231] Eclesiastes 9:9: "Goza a vida com a mulher que amas, todos os dias da tua vida vã, os quais Deus te deu debaixo do sol, todos os dias da tua vaidade; porque esta é a tua porção nesta vida, e no teu trabalho, que tu fizeste debaixo do sol".

O Peregrino

— Então, para evitar o sono neste lugar, vamos ter uma boa conversa — propôs Cristão.

— Estou de pleno acordo!

— Por onde começamos, então?

— Por onde Deus iniciou conosco. Mas começa tu, por favor — pediu Esperançoso.

— Primeiro, vou cantar-te esta canção:

> *Quando os santos tiverem sono, eles que aqui vêm*
> *Devem observar os dois peregrinos agirem como convém.*
> *Sim, aprendei com sua sábia conversa,*
> *Ficai de olhos abertos — e vice-versa.*
> *A confraria dos santos, se bem ajudar,*
> *Os mantêm acordados, não importa o pesar.*

Em seguida, Cristão começou:

— Vou te fazer uma pergunta: como foi que vieste a pensar em fazer as coisas que agora fazes?

— Queres dizer, como comecei a cuidar do bem da minha alma? — indagou Esperançoso.

— Isso mesmo.

— Durante muito tempo, aproveitei o prazer das coisas que são vistas e vendidas em nossa feira — começou Esperançoso. — Coisas que, hoje acredito, teriam me afogado em perdição e destruição caso eu continuasse a cultivá-las.

— Que coisas são essas? — quis saber Cristão.

— Todos os tesouros e riquezas do mundo. Também gostava de arruaças, de diversão, de beber, xingar, mentir, de imundices, não respeitava o sábado e tudo o mais que destrói a alma. Descobri, porém, ao ouvir e refletir sobre as coisas divinas, que ouvi de ti e também do nosso amado Fiel, que morreu por sua fé e por seu modo piedoso de vida na Feira das Vaidades, que "o final dessas coisas é a morte"[232] e que "a ira de Deus cai sobre os filhos da desobediência"[233].

— E cedeste imediatamente ao poder dessa convicção? — interrompeu Cristão.

— Não! — respondeu Esperançoso. — Não desejava conhecer o mal do pecado, nem a condenação que o acompanha. Ao contrário, esforcei-me, quando minha cabeça foi abalada pela Palavra, para fechar os olhos à sua luz.

— Mas, por que quisestes continuar naquela vida, apesar dos primeiros efeitos do Espírito abençoado de Deus em ti?

— Bem, primeiro, eu ignorava que aquilo era a obra de Deus sobre mim. Nunca pensei que, ao despertar para o pecado, Deus começasse a converter o pecador. Segundo, o pecado ainda aprazia minha carne, e eu não queria abandoná-lo. Em terceiro, não sabia como me afastar dos meus antigos companheiros, pois eu gostava da sua presença e das suas ações. Em quarto lugar, as horas em que essas convicções me ocorreram foram tão dolorosas e apavorantes que eu não podia aguentar sequer sua lembrança.

— Então, ao que parece, às vezes te vias livre da tua aflição — comentou Cristão.

— Sim, de fato, mas ela retornava sempre, e eu ficava tão mal, ou ainda pior, quanto antes.

— O que te fazia relembrar teus pecados?

— Muitas coisas — admitiu Esperançoso —, quando eu encontrava um bom homem na rua, ou quando ouvia alguém lendo a Bíblia, ou quando minha cabeça começava a doer, ou quando me

---

[232] **Romanos 6:21-23:** "E que fruto tínheis então das coisas de que agora vos envergonhais? Porque o fim delas é a morte. Mas agora, libertados do pecado, e feitos servos de Deus, tendes o vosso fruto para santificação, e por fim a vida eterna. Porque o salário do pecado é a morte, mas o dom gratuito de Deus é a vida eterna, por Cristo Jesus nosso Senhor".

[233] **Efésios 5:6:** "Ninguém vos engane com palavras vãs; porque por estas coisas vem a ira de Deus sobre os filhos da desobediência".

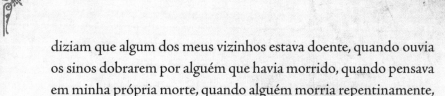

diziam que algum dos meus vizinhos estava doente, quando ouvia os sinos dobrarem por alguém que havia morrido, quando pensava em minha própria morte, quando alguém morria repentinamente, e, especialmente, quando pensava que em breve eu seria julgado.

— E conseguias livrar-te da culpa do pecado, quando essas coisas te sobrevinham?

— Não, não conseguia, pois ele me dominava a consciência. Se eu pensasse em pecar novamente (embora conscientemente não o quisesse), o tormento que me vinha era ainda maior.

— E o que fizeste? — quis saber Cristão.

— Pensei que devia me esforçar para corrigir minha vida. Do contrário, acho eu, tenho certeza de que seria condenado.

— E te esforçaste para corrigir teus erros?

— Sim — afirmou Esperançoso. — Fugi não apenas dos pecados, mas também da companhia pecaminosa, e me dediquei a atividades religiosas, como oração, leitura, lamentar os pecados, falar a verdade para meus vizinhos etc. Eu fiz essas coisas e tantas outras que seria enfadonho relatar tudo.

— E então, começaste a sentir-te melhor?

— Sim, por um tempo. Mas, por fim, minha angústia se abateu sobre mim de novo, apesar de todo o esforço que empreendi.

— Como isso aconteceu, já que te havias reformado?

— Muitas coisas me tocaram, especialmente dizeres como, "toda tua retidão é como trapos imundos"[234]; ou: "Pelas obras da lei, a carne não será justificada"[235]; ou ainda: "Quando houverdes

---

[234] Isaías 64:6: "Mas todos nós somos como o imundo, e todas as nossas justiças como trapo da imundícia; e todos nós murchamos como a folha, e as nossas iniquidades como um vento nos arrebatam".

[235] Gálatas 2:16: "Sabendo que o homem não é justificado pelas obras da lei, mas pela fé em Jesus Cristo, temos também crido em Jesus Cristo, para sermos justificados pela fé em Cristo, e não pelas obras da lei; porquanto pelas obras da lei nenhuma carne será justificada".

feito isso tudo, dizei, somos inúteis"[236]; entre muitas outras. Então, comecei a pensar o seguinte: se toda minha retidão não é nada além de trapos imundos, se pela ação da lei nenhum homem pode ser justificado, e se, mesmo quando houvermos feito tudo, ainda assim seremos inúteis, então, é tolice pensar que alcançaremos o céu pela lei. Também pensei que se um homem deve cem libras ao comerciante, deverá pagar tudo que deve. Mas sua dívida continua aberta no livro-caixa, o comerciante pode processá-lo e mandá-lo para a prisão até que a dívida seja paga.

— E como aplicaste isso a ti mesmo?

— Ora, pensei que, com meus pecados, contraí uma grande dívida, registrada no livro de Deus, e mesmo agora que me reformei, não conseguirei pagar essa dívida. Desse modo, devo pensar nisso constantemente, apesar do meu esforço. Mas como conseguirei me livrar da condenação pelos pecados que outrora cometi?

— Uma preocupação muito justificada — comentou Cristão. — Mas prossiga, por favor.

— Outra coisa que me afligia — continuou Esperançoso —; apesar de meu empenho, se observava com cuidado o melhor que fazia agora, ainda via pecado, novo pecado, mesclando-se com o melhor que eu fazia, de maneira que era forçado a concluir, não obstante meus antigos conceitos positivos que tinha de mim e de minhas tarefas, que ainda cometia pecado o bastante para ir para o inferno, mesmo se minha vida anterior houvesse sido imaculada.

— E o que fizeste, então?

— O que fiz? Não sabia o que fazer até me abrir com Fiel, pois ele e eu éramos conhecidos. E ele me disse que a não ser que eu pudesse ter a retidão do homem que nunca pecou, nem minha própria integridade, nem a probidade do mundo todo poderia me salvar.

---

[236] Lucas 17:10: "Assim também vós, quando fizerdes tudo o que vos for mandado, dizei: Somos servos inúteis, porque fizemos somente o que devíamos fazer".

O Peregrino

— E você acha que ele disse a verdade? — perguntou Cristão.

— Ele me disse que se houvesse falado comigo quando eu estava satisfeito com minha vida anterior, eu o teria chamado de tolo. Mas depois que vi minha própria enfermidade e o pecado que se une aos meus melhores atos, sou forçado a concordar com ele.

— Mas pensaste, quando ele disse isso, que poderias encontrar tal homem, alguém que com justiça se pudesse dizer que nunca cometeu um pecado?

— Devo confessar que suas palavras soaram estranhas de início, porém, depois de conversarmos e de convivermos mais, fiquei completamente convencido.

— E perguntaste a ele quem era esse homem e como poderias ser justificado por seu intermédio?

— Sim. Ele me disse que era o Senhor Jesus que se senta à direita do Elevadíssimo — confirmou Esperançoso. — E assim, ele me disse, eu deveria ser justificado por Seu intermédio, confiando no que Ele fez quando aqui esteve em carne e em Seu sofrimento ao ser crucificado. Eu lhe perguntei: ainda, como um homem pode ser capaz de justificar outro perante Deus? E ele me disse que Ele era o Deus poderoso e fez o que fez e morreu a morte que morreu não por Si, mas por mim, a quem Seus feitos e o valor destes devem ser atribuídos, se eu crer nele[237].

— E o que fizeste, então? — indagou Cristão.

— Levantei objeções, pois achei que Ele não quisesse me salvar.

— E o que Fiel te respondeu?

— Ele me disse para segui-Lo e ver por mim mesmo — contou Esperançoso. — Eu disse que era presunção, mas ele discordou, pois eu havia sido convidado a segui-Lo[238]. Daí, ele me deu um livro

---

[237] Hebreus 10, Romanos 6, 1 Pedro 1.

[238] Mateus 11:28: "Vinde a mim, todos os que estais cansados e oprimidos, e eu vos aliviarei".

sobre Jesus, como um convite para me encorajar a vir. Sobre o livro, ele me disse que cada letra e palavra eram mais firmes que o céu e a terra[239]. Então, eu lhe perguntei o que deveria fazer quando O encontrasse, e ele me respondeu que deveria me ajoelhar e suplicar de todo o coração e toda a alma que o Pai O revelasse a mim[240]. Perguntei, além do mais, como deveria fazer minha súplica, e ele disse: "Vai e O encontrarás sobre o trono de misericórdia, onde fica o ano todo para oferecer perdão a todos os que Lho pedem".

— Eu lhe disse — prosseguiu Esperançoso — que não saberia o que falar quando lá chegasse, e ele me orientou a repetir estas palavras: "Deus, sê misericordioso comigo, pecador, e faz-me crer em Jesus Cristo, pois bem vejo que se não fosse por Sua retidão, eu estaria totalmente perdido. Disseram-me que o Senhor é um Deus de misericórdia e Ordenaste que Teu filho Jesus Cristo se tornasse o Salvador deste mundo. Além disso, o Senhor deseja concedê-la a um pobre pecador como eu (e sou, de fato, um pecador). Senhor, aproveita a oportunidade de ampliar Tua graça na salvação da minha alma por meio de Teu filho Jesus Cristo. Amém"[241].

---

[239] **Matteus 24:35.**

[240] **Salmos 95:6:** "Ó, vinde, adoremos e prostremo-nos; ajoelhemos diante do Senhor que nos criou". **Daniel 6:10:** "Daniel, pois, quando soube que o edito estava assinado, entrou em sua casa (ora havia no seu quarto janelas abertas do lado de Jerusalém), e três vezes no dia se punha de joelhos, e orava, e dava graças diante do seu Deus, como também antes costumava fazer". **Jeremias 29:12-13:** "Então me invocareis, e ireis, e orareis a mim, e eu vos ouvirei. E buscar-me-eis, e me achareis, quando me buscardes com todo o vosso coração".

[241] **Êxodo 25:22:** "E ali virei a ti, e falarei contigo de cima do propiciatório, do meio dos dois querubins (que estão sobre a arca do testemunho), tudo o que eu te ordenar para os filhos de Israel". **Levítico 16:2:** "Disse, pois, o Senhor a Moisés: Dize a Arão, teu irmão, que não entre no santuário em todo o tempo, para dentro do véu, diante do propiciatório que está sobre a arca, para que não morra; porque eu aparecerei na nuvem sobre o propiciatório". **Números 7:89:** "E, quando Moisés entrava na tenda da congregação para falar com ele, então ouvia a voz que lhe falava de cima do propiciatório, que estava sobre a arca do testemunho entre os dois querubins; assim com ele falava". **Hebreus 4:16:** "Cheguemos, pois, com confiança ao trono da graça, para que possamos alcançar misericórdia e achar graça, a fim de sermos ajudados em tempo oportuno".

O Peregrino

— E fizeste conforme ele te disse? — falou Cristão.

— Sim, e muitas e repetidas vezes.

— E o Pai revelou Seu Filho a ti?

— Não de imediato, nem depois, nem na terceira e na quarta vez, e tampouco na quinta e na sexta — respondeu Esperançoso.

— E o que fizeste, então?

— Ora, eu não sabia o que fazer — admitiu Esperançoso.

— Não pensaste em desistir das orações?

— Sim! Umas cem ou duzentas vezes.

— E por que não o fizeste? — perguntou Cristão.

— Eu acreditava que o que Fiel me dissera era verdadeiro, isto é, que sem a retidão desse Cristo, o mundo todo não poderia me salvar. Por isso, pensei: "Se eu desistir, morro e nada consigo além da morte no trono da graça". E me veio na mente: "Se tardar, espera-o, porque certamente virá, não tardará"[242]. Assim, continuei a orar até que o Pai me mostrou Seu Filho.

— E como foi que Ele te foi revelado?

— Não O vi com meus olhos físicos, mas com os olhos da minha compreensão[243]. Foi assim: certo dia, eu estava muito triste, acho que mais triste que em qualquer outra época da minha vida, e essa tristeza se devia ao fato de eu ter percebido a gravidade e a vileza dos meus pecados. Eu não esperava nada além do inferno e da condenação eterna da minha alma. De repente, vi o Senhor Jesus Cristo olhando para mim do céu e dizendo: "Crê no senhor Jesus Cristo e serás salvo"[244].

---

[242] **Habacuque 2:3**: "Porque a visão é ainda para o tempo determinado, mas se apressa para o fim, e não enganará; se tardar, espera-o, porque certamente virá, não tardará".

[243] **Efésios 1:18-19**: "Tendo iluminados os olhos do vosso entendimento, para que saibais qual seja a esperança da sua vocação, e quais as riquezas da glória da sua herança nos santos; E qual a suprema grandeza do seu poder sobre nós, os que cremos, segundo a operação da força do seu poder".

[244] **Atos 16:30-31**: "E, tirando-os para fora, disse: Senhores, que é necessário que eu faça para me salvar? E eles disseram: Crê no Senhor Jesus Cristo e serás salvo, tu e a tua casa".

— E eu repliquei: — continuou Esperançoso —, "Mas Senhor, sou um grandessíssimo pecador", e Ele respondeu: "Minha graça é suficiente para vós"[245]. Então, eu disse: "Mas Senhor, o que é acreditar?" E me veio à mente esta passagem: "Aquele que vem a Mim nunca terá fome e aquele que em Mim crer nunca terá sede"[246]. Entendi, assim, que crer e ir até Ele eram a mesma coisa e que aquele que O busca, ou seja, que busca a salvação em Cristo com todo o coração e afeto, acredita verdadeiramente Nele. Diante disso, lágrimas me subiram aos olhos, e fiz ainda outras perguntas: "Mas Senhor, um grande pecador como eu pode ser aceito e salvo por ti?" E ouvi-O responder: "Aquele que vem a Mim eu jamais rejeitarei"[247]. "Mas como, Senhor", perguntei, "devo proceder contigo para que minha fé se faça correta?" E Ele falou: "Cristo Jesus veio ao mundo para salvar os pecadores"[248]. "Ele é a lei da retidão para todos aqueles que creem"[249]. Ele morreu pelos nossos pecados e ressuscitou para nos justificar[250]. Ele nos amou e lavou nossos pecados com seu próprio sangue[251]. Ele é o mediador entre Deus e nós[252]. Ele viveu

---

[245] **2 Coríntios 12:9:** "E disse-me: A minha graça te basta, porque o meu poder se aperfeiçoa na fraqueza. De boa vontade, pois, me gloriarei nas minhas fraquezas, para que em mim habite o poder de Cristo".

[246] **João 6:35:** "E Jesus lhes disse: Eu sou o pão da vida; aquele que vem a mim não terá fome, e quem crê em mim nunca terá sede".

[247] **João 6:37:** "Todo o que o Pai me dá virá a mim; e o que vem a mim de maneira nenhuma o lançarei fora".

[248] **1 Timóteo 1:15:** "Esta é uma palavra fiel, e digna de toda a aceitação, que Cristo Jesus veio ao mundo, para salvar os pecadores, dos quais eu sou o principal".

[249] **Romanos 10:4:** "Porque o fim da lei é Cristo para justiça de todo aquele que crê".

[250] **Romanos 4:25:** "O qual por nossos pecados foi entregue, e ressuscitou para nossa justificação".

[251] **Apocalipse 1:5:** "E da parte de Jesus Cristo, que é a fiel testemunha, o primogênito dentre os mortos e o príncipe dos reis da terra. Àquele que nos amou, e em seu sangue nos lavou dos nossos pecados".

[252] **1 Timóteo 2:5:** "Porque há um só Deus, e um só Mediador entre Deus e os homens, Jesus Cristo homem".

O Peregrino

para interceder por nós[253]. Por tudo o que compreendi, devo buscar a retidão na Sua pessoa e a expiação de meus pecados pelo Seu sangue. O que Ele fez em obediência à lei de Seu Pai, submetendo-se ao castigo, não o fez por Si, mas para aquele que reconhecerá e que será grato a isto para ser salvo. E, então, meu coração encheu-se de alegria, e meus olhos de lágrimas, e meu coração transbordou de amor pelo nome, pelo povo e pelos modos de Jesus Cristo.

— Isso foi, de fato, uma revelação do Cristo para a sua alma — reconheceu Cristão. — Mas, dize-me, que efeito isso tudo teve sobre teu espírito?

— Percebi que o mundo todo, não obstante a retidão que aqui há, está condenado. Vi que Deus Pai, embora seja justo, pode justificar o pecador que sai em busca de redenção. Fez-me ter vergonha da vileza da minha antiga vida e me confundiu com a noção da minha ignorância, pois antes eu não tinha em meu coração um sentimento que me mostrasse a beleza de Jesus Cristo. Levou-me a amar a vida santa e a desejar fazer algo para honrar e glorificar o nome do Senhor Jesus. Sim, acho que se eu tivesse milhares de litros de sangue em meu corpo, derramaria tudo por amor ao Senhor Jesus.

Vi, no sonho, que Esperançoso olhou para trás e percebeu Ignorância se aproximar.

— Vê! — falou Cristão. — Vê só o quanto esse rapaz ficou para trás. Sim, sim, posso vê-lo. Ele não liga para nossa companhia.

— Mas creio que não lhe faria mal se houvesse nos acompanhado — observou Esperançoso.

— É verdade, mas te garanto que ele pensa diferente.

— Acho que sim. Mesmo assim, esperemos por ele.

---

[253] **Hebreus 7:24-25:** "Mas este, porque permanece eternamente, tem um sacerdócio perpétuo. Portanto, pode também salvar perfeitamente os que por ele se chegam a Deus, vivendo sempre para interceder por eles".

— Vem, homem, por que ficaste tão para trás? — disse Cristão.

— Gosto de caminhar só, muito mais que acompanhado, a não ser que eu goste da companhia.

Cristão voltou-se para Esperançoso e murmurou:

— Eu não disse que ele não ligava para nossa companhia? Mas, vamos passar o tempo conversando com ele, que este lugar é solitário.

Cristão se dirigiu, então, a Ignorância e perguntou:

— Como estás? Como anda a relação entre tua alma e Deus?

— Espero que bem, porque sempre estou cheio de bons pensamentos que me vêm à mente e me confortam enquanto caminho — respondeu Ignorância.

— Que bons pensamentos são esses? — quis saber Cristão.

— Ora, penso em Deus e no céu.

— Os demônios e as almas condenadas também — contrapôs Cristão.

— Mas eu penso neles e os desejo — retrucou Ignorância.

— Da mesma forma que muitos que nunca chegarão lá. "A alma do preguiçoso deseja e nada consegue"[254] — disse Cristão

— Mas eu penso neles e abandono tudo por eles — protestou Ignorância.

— Duvido — continuou Cristão —, pois abandonar tudo é muito difícil, bem mais difícil do que se pensa. Mas por que razão estás convencido de que abandonaste tudo por Deus e pelo céu?

— Por que meu coração assim diz.

— O sábio diz: "Aquele que confia em seu coração é um tolo"[255] — lembrou Cristão.

---

[254] **Provérbios 13:4**: "A alma do preguiçoso deseja, e coisa nenhuma alcança, mas a alma dos diligentes se farta".

[255] **Provérbios 28:26**: "O que confia no seu próprio coração é insensato, mas o que anda em sabedoria, será salvo".

O Peregrino

— Isso pode ser dito de um coração mau, mas o meu é bom — objetou Ignorância.

— Podes provar isso?

— Ele me consola com a esperança do céu.

— Isso pode ser uma cilada, porque o coração pode confortar com esperanças pelas quais a pessoa não tem como esperar — contestou Cristão.

— Mas meu coração e minha vida estão de acordo, por isso minha esperança é bem fundamentada.

— E quem te disse que teu coração e tua vida estão em harmonia?

— Meu coração assim o diz — respondeu Ignorância.

— Então, pergunta a ele se sou um ladrão. Ele te dirá que sim. Mas só Deus pode testemunhar a esse respeito; qualquer outro testemunho não tem valor.

— Mas um coração bom não produz bons pensamentos? E uma vida boa não é aquela que segue os mandamentos de Deus? — perguntou Ignorância.

— Sim — confirmou Cristão —, um bom coração produz bons pensamentos e uma vida boa é aquela que segue os mandamentos de Deus. Entretanto, uma coisa é ter isso, e outra é pensar que se tem.

— Pois me diga — pediu Ignorância —, o que consideras bons pensamentos e levar uma vida de acordo com os mandamentos de Deus?

— Há bons pensamentos de diversos tipos. Alguns dizem respeito a nós mesmos; outros, a Deus; outros, a Cristo; e outros ainda, a outras coisas — explicou Cristão.

— Quais são os bons pensamentos que dizem respeito a nós mesmos? — indagou Ignorância.

— Aqueles que concordam com a Palavra de Deus.

— E quando nossos pensamentos sobre nós mesmos concordam com a Palavra de Deus?

— Quando fazemos o mesmo julgamento de nós mesmos que a Palavra faz — disse Cristão. — Deixa-me explicar: a Palavra de Deus diz o seguinte sobre as pessoas na condição natural: "Ninguém é justo, ninguém faz o bem"[256]. Também diz que "toda a inclinação do coração do homem é apenas e sempre para o mal"[257]. E também que "o coração do homem se inclina para o mal desde a juventude[258]. Quando pensamos desse modo sobre nós mesmos, temos noção, portanto de que nossos pensamentos são bons, porque estão de acordo com a Palavra de Deus.

— Nunca poderei acreditar que meu coração seja assim tão mau — falou Ignorância.

— Então, nunca tiveste um bom pensamento a respeito de ti mesmo nesta vida — declarou Cristão. — Mas deixa-me continuar. Assim como a Palavra julga nosso coração, também o faz com relação ao nosso modo de ser. E quando os pensamentos do nosso coração e do nosso modo de ser estão de acordo com o julgamento que a Palavra faz deles, ambos são bons, pois estão em harmonia.

— Explica melhor o que queres dizer — pediu Ignorância.

— Ora, a Palavra de Deus declara que o modo de vida dos homens é torto — disse Cristão. — Não é um bom modo de vida, mas perverso[259]. Diz que os homens estão naturalmente fora do caminho, o qual sequer conhecem[260]. Quando um homem pensa

---

[256] **Romanos 3:10-12:** "Como está escrito: Não há um justo, nem um sequer. Não há ninguém que entenda; Não há ninguém que busque a Deus. Todos se extraviaram, e juntamente se fizeram inúteis. Não há quem faça o bem, não há nem um só".

[257] **Gênesis 6:5:** "E viu o Senhor que a maldade do homem se multiplicara sobre a terra e que toda a imaginação dos pensamentos de seu coração era só má continuamente".

[258] **Romanos 8:21:** "Na esperança de que também a mesma criatura será libertada da servidão da corrupção, para a liberdade da glória dos filhos de Deus".

[259] **Salmos 125:5:** "Quanto àqueles que se desviam para os seus caminhos tortuosos, leva-los-á o Senhor com os que praticam a maldade; paz haverá sobre Israel". **Provérbios 2:15:** "Cujas veredas são tortuosas e que se desviam nos seus caminhos".

[260] **Romanos 3.**

O Peregrino

dessa maneira sobre seu próprio modo de vida, isto é, quando o faz com humildade, então ele tem bons pensamentos com relação à sua maneira de viver, pois seus pensamentos estão em harmonia com o julgamento da Palavra de Deus.

— E quais são os bons pensamentos com relação a Deus? — quis saber Ignorância.

— Da mesma forma, o que falei sobre os pensamentos relativos a nós mesmos, quando os nossos pensamentos sobre Deus estão de acordo com o que a Palavra diz sobre eles. Ou seja: quando pensamos sobre Seu ser e seus atributos da mesma forma que a Palavra nos ensinou. Agora, porém, não posso explicar isso em detalhes. Mas falando de Deus com relação a nós, devemos ter pensamentos retos sobre Deus, pensar que Ele nos conhece melhor que nós mesmos e que pode ver o pecado em nós quando e onde não conseguimos ver nenhum, quando acreditamos que Ele conhece nossos pensamentos mais íntimos, e que nosso coração, em toda sua profundidade, está sempre visível a Ele, e também que o cheiro de toda nossa retidão ofende Suas narinas, e que, portanto, Ele não pode tolerar que nos coloquemos diante Dele com confiança, mesmo diante de nossas melhores ações.

— Achas que sou tolo por pensar que Deus não pode ver mais que eu? — indignou-se Ignorância. — Ou que eu me apresentaria diante Dele orgulhoso de minhas melhores ações?

— Ora, mas o que pensas sobre isso? — perguntou Cristão.

— Para ser breve, acho que devemos crer em Cristo para sermos salvos.

— Como? Crer em Cristo, sem ver a necessidade que tens Dele? — disse Cristão. — Tu não vês nem tuas fraquezas originais, nem as atuais, mas tens essa opinião de ti mesmo e do que deves fazer. Assim, és alguém que nunca viu a necessidade da retidão pessoal de Cristo para justificar-te diante de Deus. Como, então, podes dizer que acreditas em Cristo?

— Creio e muito, apesar do que dizes — respondeu Ignorância.

— E como crês?

— Acredito que Cristo morreu pelos pecadores, e que eu serei justificado diante de Deus por aceitar que obedeço graciosamente Sua lei — redarguiu Ignorância. — Ou melhor: Cristo torna minhas ações, que são religiosas, aceitáveis a Seu pai pela virtude de seus méritos. E, desse modo, eu serei justificado.

— Deixa-me responder à Tua confissão de fé — propôs Cristão. — 1. Tens uma fé fantástica, pois ela não é descrita em nenhum lugar da Palavra. 2. Tens uma falsa fé, porque tira a justificação da retidão pessoal de Cristo e a aplica a si mesmo. 3. Essa fé não faz de Cristo o justificador da tua pessoa, mas das tuas ações, o que é falso. 4. Por isso, tua fé é enganosa e atrairá para ti a ira de Deus Todo-Poderoso no dia do julgamento. A fé que verdadeiramente salva faz com que a alma, sensível à sua perdição na lei, busque refúgio na retidão de Cristo, a qual não é um ato de graça pelo qual Ele procede com a justificação, mas Sua obediência à lei ao sofrer por nós, em nossas mãos, o que Lhe foi exigido. Essa retidão, afirmo, é a verdadeira fé, sob a qual a alma se refugia e se apresenta imaculada diante de Deus, e é, assim, absolvida da condenação.

— O quê? — exclamou Ignorância. — Queres que eu acredite no que Cristo fez sem nossa participação? Essa ideia soltaria as rédeas da nossa paixão e toleraria que vivêssemos como bem quiséssemos. Desse modo, o que importaria o modo como vivemos se podemos ser justificados pela retidão pessoal de Cristo, bastando, para tanto, apenas crer nisso?

— Ignorância é teu nome, e assim és — disse Cristão. — Tua resposta demonstra o que digo. Tu ignoras o que é a retidão que justifica, tanto quanto ignoras como salvar tua alma da pesada ira de Deus. Também ignoras os verdadeiros efeitos da fé salvadora na retidão de Cristo, que se constituem em reverenciar e oferecer o

O PEREGRINO

coração a Deus em Cristo, amar Seu nome, Sua Palavra, Seus caminhos e Seu povo, e não da forma como tu ignorantemente imaginas.

— Pergunta a ele se alguma vez Cristo lhe foi revelado no céu — sugeriu Esperançoso.

— O quê? És um homem de revelações? — exclamou Ignorância. — Acho que aquilo que vós e também outros como vós falam sobre isso é fruto de miolos moles.

— Ora, convém! — disse Esperançoso. — Cristo está tão profundamente oculto em Deus das inquietações naturais da carne que homem nenhum pode conhecê-Lo de maneira salvadora, a não ser que Deus Pai O revele a nós.

— Essa é tua crença, mas não é a minha — declarou Ignorância. — A minha, não tenho dúvida, é tão boa quanto a tua, embora eu não tenha em minha cabeça tantas fantasias quanto vós.

— Permita-me intervir — pediu Cristão. — Tu não deverias falar desse assunto de forma tão leviana. Eu afirmo com veemência, como meu bom amigo aqui o fez, que ninguém pode conhecer Jesus Cristo a não ser pela revelação do Pai[261]. E também a fé, pela qual a alma se abraça a Cristo, se bem me expresso, deve ser forjada pela excessiva grandeza de Seu imenso poder. Percebo, pobre Ignorância, que tu ignoras a obra dessa fé[262]. Desperta, então, reconhece tua desventura e vai em busca do Senhor Jesus. Pela Sua retidão, que é a retidão de Deus, pois Jesus é Deus, tu serás libertado da condenação.

---

[261] **Mateus 11:27**: "Todas as coisas me foram entregues por meu Pai, e ninguém conhece o Filho, senão o Pai; e ninguém conhece o Pai, senão o Filho, e aquele a quem o Filho o quiser revelar".

[262] **1 Coríntios 12:3**: "Portanto, vos quero fazer compreender que ninguém que fala pelo Espírito de Deus diz: Jesus é anátema, e ninguém pode dizer que Jesus é o Senhor, senão pelo Espírito Santo". **Efésios 1:18-19**: "Tendo iluminados os olhos do vosso entendimento, para que saibais qual seja a esperança da sua vocação, e quais as riquezas da glória da sua herança nos santos; E qual a suprema grandeza do seu poder sobre nós, os que cremos, segundo a operação da força do seu poder".

— Vós andais muito rapidamente — reclamou Ignorância. — Não consigo vos acompanhar. Ide em frente, que eu ficarei um pouco para trás.

E os dois responderam:

> — E então, Ignorância, serás tão tolo
> Para recusar conselhos que valem ouro?
> Sabes que ao fazê-lo, deves reconhecer
> Que o mal te alcançará antes do amanhecer.
> Lembra-te: cede, não teme,
> E o bom conselho aceita sem teima.
> Mas, se mesmo assim vais recusar,
> Sabes, Ignorância, que infortúnios podes esperar.

Em seguida, Cristão dirigiu-se a seu companheiro:

— Vem, meu bom Esperançoso, percebo que devemos continuar apenas nós dois de novo.

Assim, vi em meu sonho que eles continuaram à frente, com Ignorância seguindo de arrasto atrás deles. Cristão comentou com seu companheiro:

— Tenho pena desse pobre homem, porque, no final, ele vai se dar mal.

— Ai dele! — lamentou Esperançoso. — Há muitos como ele em nossa cidade, famílias inteiras, ruas inteiras. O mesmo acontece até com peregrinos. E se há tantos em nossas cidades, imagina quantos existem no lugar onde ele nasceu!

— De fato, a Palavra diz: "Ele cegou seus olhos para que não pudessem ver", mas agora que estamos só os dois, o que pensas sobre esses homens? Achas que eles não têm convicção de seus pecados e, consequentemente, não percebem que seu estado é perigoso?

— Peço que respondas tu mesmo, pois és o mais velho de nós — pediu Esperançoso.

— Penso que, às vezes, eles têm convicção, mas, como são ignorantes, não compreendem que essa convicção é para seu bem. Por isso, eles tentam desesperadamente sufocá-la e continuam, de modo presunçoso, a buscar exaltar os caminhos do próprio coração.

— Acredito mesmo, como dizes, que o temor faz muito bem aos homens e os torna virtuosos, levando-os à peregrinação — observou Esperançoso.

— Sem sombra de dúvidas faz! A Palavra diz: "O temor ao Senhor é o princípio da sabedoria"[263].

— Como descreverias o temor correto? — indagou Esperançoso.

— O temor verdadeiro, ou correto, revela-se em três coisas: primeiro, pela sua origem, pois é causado pela salvadora convicção do pecado; segundo, leva a alma a agarrar-se fortemente a Cristo em busca da sua salvação; terceiro, ele gera na alma uma grande e contínua reverência por Deus, pela Sua Palavra, Seu caminho, conservando a alma terna, temerosa de se afastar Dele, à direita ou à esquerda, de fazer algo que desonre a Deus, que abale Sua paz, entristeça o Espírito ou que permita ao inimigo falar de modo reprovador.

— Bem dito — elogiou Esperançoso. — Acredito que o que disseste é verdadeiro. Já passamos do Terreno Encantado?

— Por que queres saber? Cansaste do discurso?

— Na verdade, não. É que queria saber onde estamos.

— Temos ainda que percorrer dois quilômetros e meio. Mas voltemos ao nosso assunto. Os ignorantes não sabem que essas convicções que os levam a temer são para o seu bem, e, por isso, buscam sufocá-las.

— E como eles buscam sufocá-las? — quis saber Esperançoso.

— Eles pensam que esse temor é provocado pelo diabo, quando é, na verdade, forjado por Deus, e ao pensar assim, resistem a ele como se fosse provocar sua ruína. Em segundo lugar, pensam que

---

[263] Provérbios 9:10, bem como Jó 28:28 e Salmos 111:10.

esse temor prejudica sua fé, quando, na verdade (pobres homem que são!), não têm nenhuma! Por isso, fecham seu coração ao temor. Em terceiro, presumem que não devem temer, e, portanto, apesar de seus medos, tornam-se presunçosamente confiantes. Por fim, em quarto lugar, veem que seus temores tendem a ofuscar sua lamentável falsa santidade, e, portanto, resistem a eles com toda a sua força.

— Sei disso por experiência própria — admitiu Esperançoso. — Antes de me convencer disso, também era assim comigo.

— Bem, deixemos, por enquanto, nosso vizinho Ignorância, e discutamos outra questão proveitosa — propôs Cristão.

— De todo o coração, mas começa tu.

— Certo... Conheceste, há cerca de dez anos, um religioso chamado Temporário, que era famoso na sua região nessa época?

— Sim, eu o conheci! Ele morava na cidade de Desventura, a cerca de dois quilômetros e meio de Honestidade, e era vizinho de um homem chamado Dá-as-Costas.

— Eles viviam sob o mesmo teto — disse Cristão. — Esse homem, certa vez, teve um grande despertar. Creio que teve consciência de seus pecados e do castigo que sofreria por eles.

— Tens razão, pois minha casa não ficava a cinco quilômetros da dele, e ele ia me ver com frequência, sempre com lágrimas nos olhos. Eu tinha muita pena dele, mas nutria esperanças por ele. No entanto, nem todos os que gritam "Senhor! Senhor!" serão salvos.

— Ele me disse, certa vez, que resolvera sair em peregrinação, como esta nossa. Mas ficou amigo de certo Salve-a-si-Mesmo e se distanciou de mim — contou Cristão.

— Como estamos conversando sobre ele, vejamos o motivo de seu retrocesso e também de outros — sugeriu Esperançoso.

— Sim, será muito frutífero, mas podes começar?

— Bem, então que assim seja. Acredito que haja quatro motivos para um tal retrocesso: primeiro, embora a consciência desses homens tenha sido despertada, sua mente não mudou. Por isso, quando o poder da culpa se desgasta, aquilo que os tornou religiosos cessa, e eles retornam ao seu curso natural uma vez mais, do mesmo modo quando vemos um cão doente com o que comeu e que, quando está mal, vomita e põe tudo para fora. Não que ele faça isso deliberadamente (se é que um cão delibera), mas porque seu estômago está perturbado. Agora, quando sua doença passa e seu estômago melhora, seu desejo não está alienado do seu vômito, ele se volta e lambe tudo, de modo que é verdade que "o cão retorna ao próprio vômito novamente"[264]. Por isso, estando em busca do céu apenas pelo temor dos tormentos do inferno, quando o medo do inferno e da condenação esfria, também esfria o desejo pelo céu e pela salvação. Assim, esse desejo passa, e quando sua culpa e seu medo desaparecem, seu desejo de ir para o céu e de conquistar a felicidade morrem, e eles retornam ao seu antigo caminho de novo.

— Outro motivo — continuou Esperançoso — é que eles são escravos de medos que os dominam. Falo agora sobre os medos que os homens têm, pois "quem teme o homem cai em armadilha"[265]. Desse modo, embora pareçam querer ir para o céu, desde que estejam sentindo as chamas dos infernos próximas das orelhas, quando o terror arrefece, eles são tomados por segundos pensamentos, a saber, que é bom ser sábio e não correr o risco (sabe-se lá por que) de perder tudo, ou, no mínimo, de atrair para si problemas desnecessários e inevitáveis. E, assim, entregam-se de novo ao mundo.

— O terceiro motivo — disse Esperançoso — é a vergonha da religião, que se torna um obstáculo em seu caminho. São

---

[264] 2 Pedro 2:22: "Deste modo sobreveio-lhes o que por um verdadeiro provérbio se diz: O cão voltou ao seu próprio vômito, e a porca lavada ao espojadouro de lama".

[265] Provérbios 29:25: "O receio do homem lhe arma laços; mas o que confia no Senhor está seguro".

orgulhosos, arrogantes e veem a religião como algo baixo e desprezível. Por isso, quando se esquecem do inferno e da ira que os espera, voltam a ser o que eram antes. Por fim, a quarta razão: a culpa e a lembrança do terror os atormentam. Não querem ver sua desgraça antes de ela se realizar. Só que, ao ver sua desgraça antes de ela se realizar, talvez possam tomar o caminho da retidão e se salvar. Mas eles, como eu disse antes, evitam os pensamentos de culpa e de terror; quando seu despertar sobre o terror e a ira de Deus passa, eles endurecem seu coração com alegria e escolhem os caminhos que os tornarão ainda mais empedernidos.

— Estás bem perto do âmago da questão — observou Cristão —, pois o fundamento de tudo é o desejo de mudança no seu modo de pensar e na sua vontade. Por isso, eles são como o homem que está postado diante do juiz: ele treme e balança e parece estar arrependido de todo o coração, mas no fundo, isso se deve ao medo do julgamento. Não é que ele repudia a ofensa que cometeu, porque, se esse homem for absolvido, tornar-se-á um ladrão, um velhaco; porém, se seu pensamento realmente se transformou, ele agirá de modo contrário.

— Eu demonstrei os motivos de eles retornarem a uma vida de pecado. Agora, mostra-me como isso acontece — pediu Esperançoso.

— Com prazer. Enumerá-los-ei para ti:

1. Eles afastam seu pensamento tanto quanto podem da lembrança de Deus, da morte e do juízo final.

2. Em seguida, livram-se, aos poucos, das suas obrigações, como a oração, como conter suas paixões, vigiar, arrepender-se dos pecados e outras.

3. Depois, evitam a companhia de cristãos verdadeiros.

O Peregrino

4. Após isso, rejeitam as obrigações públicas, como ouvir, ler e participar das santas conferências e de outras atividades.

5. Posteriormente, procuram defeitos na vida das pessoas piedosas e usam como pretexto para se afastar da religião alguma fraqueza que tenham diabolicamente descoberto.

6. Sem demora, começam a se associar a homens carnais, levianos e devassos.

7. Logo em seguida, entregam-se em segredo a conversas carnais e fúteis. Ficam felizes ao identificar esses traços em qualquer pessoa considerada honesta e se sentem ainda mais estimulados a seguir seu exemplo.

8. Depois disso, começam a cometer abertamente pecados menores.

9. E então, tendo se tornado empedernidos, mostram-se do jeito que são. Desse modo, caem de novo num mar de desgraças. A não ser que o milagre da graça o evite, perecem para sempre em seus próprios enganos.

Vi em meu sonho que, àquela altura, os peregrinos haviam saído do Terreno Encantado e entrado no país da Desposada[266], cujo ar era muito doce e agradável. E como a estrada atravessava esse lugar, os peregrinos puderam Aproveitá-lo por algum tempo. Ali, ouviram o contínuo canto dos pássaros; todos os dias em que ali caminharam, viram flores desabrochando nos campos e escutaram a voz da Tartaruga na Terra. Naquela terra, o Sol brilhava noite e dia. Ficava além do Vale da Sombra da

---

[266] No original, *Beulah*, um nome feminino hebraico. O nome foi originalmente usado no Livro de Isaías como um atributo profetizado da terra de Israel, traduzida como "casada", como em Isaías 62:4, ou "adotada", como em Isaías 62:4: "Nunca mais te chamarão: Desamparada, nem a tua terra se denominará jamais: Assolada; mas chamar-te-ão: O meu prazer está nela, e à tua terra: A casada; porque o Senhor se agrada de ti, e a tua terra se casará".

Morte e fora do alcance do gigante Desespero e dali também não se podia avistar o Castelo da Dúvida. De onde estavam podiam ver a cidade para onde iam. Ali, também encontraram alguns de seus habitantes, uma vez que nesse local os Seres Resplandecentes costumavam passear, pois ficava nos limites do céu. Nessa terra, a aliança entre o noivo e a noiva era renovada, porque "assim como o noivo se alegra com a noiva, Deus também se alegra com eles"[267]. Ali, não havia necessidade de trigo nem de vinho, pois havia em abundância tudo aquilo que os viajantes haviam buscado em sua peregrinação[268]. Ali, ouviram vozes que provinham de fora da cidade, vozes que diziam: "Saudai a filha do Sião! Vede, vossa salvação chegou! Vede, Ele traz sua recompensa!" Lá, os habitantes do país chamavam a si mesmos de "povo santo", ou "redimidos do Senhor", ou "Buscadores"[269] e outros epítetos mais.

Enquanto caminhavam por aquela terra, alegraram-se mais que nos lugares mais remotos do reino pelos quais haviam passado. Ao se aproximarem da cidade, obtiveram uma visão ainda melhor dela. Era toda construída de pérolas e pedras preciosas, e as ruas, pavimentadas de ouro. Por conta da glória natural da cidade e devido ao reflexo dos raios do Sol sobre ela, Cristão sentiu-se mal de tanto desejo. Esperançoso também foi acometido pela mesma indisposição. Desse modo, deitaram-se por algum tempo, gritando

---

[267] **Isaías 62:5**: "Porque, como o jovem se casa com a virgem, assim teus filhos se casarão contigo; e como o noivo se alegra da noiva, assim se alegrará de ti o teu Deus".

[268] **Isaías 62:8**: "Jurou o Senhor pela sua mão direita, e pelo braço da sua força: Nunca mais darei o teu trigo por comida aos teus inimigos, nem os estrangeiros beberão o teu mosto, em que trabalhaste".

[269] **Isaías 62:11-12**: "Eis que o Senhor fez ouvir até às extremidades da terra: Dizei à filha de Sião: Eis que vem a tua salvação; eis que com ele vem o seu galardão, e a sua obra diante dele. E chamar-lhes-ão: Povo santo, remidos do Senhor; e tu serás chamada: Procurada, a cidade não desamparada".

em meio à sua aflição: "Se encontrares meu bem-amado, dize-lhe que estou doente de amor"[270].

Ao se sentirem um pouco mais fortalecidos e capazes de suportar a tontura que lhes sobreveio, continuaram pelo caminho, passando, à medida que se aproximavam, por pomares, vinhas e jardins cujos portões se abriam para a estrada. Na entrada de um desses locais havia um jardineiro, a quem os peregrinos se dirigiram:

— De quem são esses belos jardins e vinhas? — perguntaram.

— São do Rei, e foram aqui plantados para o Seu prazer e também para dar conforto aos peregrinos — respondeu o jardineiro. E os levou para dentro do vinhedo, dizendo-lhes que se refrescassem com as delícias que lá frutificavam[271]. Também lhes mostrou as veredas por onde o Rei gostava de caminhar e as árvores sob as quais gostava de descansar. E ali eles se deitaram e adormeceram.

Vi em meu sonho que, dessa vez, eles falaram dormindo, como nunca antes haviam feito durante a jornada. E, tendo notado isso, o jardineiro me perguntou:

— Por que estás tão intrigado com isso? É da natureza das uvas deste vinhedo fazer as pessoas adormecerem e falarem durante o sono.

Então, vi que despertaram e que se preparavam para ir à cidade. No entanto, como eu havia dito, o reflexo do Sol sobre a cidade (que era feita de ouro puro) era tão extremamente glorioso que eles não conseguiam ainda encarar o brilho a olho nu, mas somente com um utensílio feito para esse fim. Assim, vi que, ao continuarem, encontraram dois homens usando roupas que brilhavam como

---

[270] **Cânticos 5:8**: "Conjuro-vos, ó filhas de Jerusalém, que, se achardes o meu amado, lhe digais que estou enferma de amor."

[271] **Deuteronômio 23:24**: "Quando entrares na vinha do teu próximo, comerás uvas conforme o teu desejo até te fartares, porém não as porás no teu cesto."

ouro. Tinham faces que também resplandeciam como luz[272].

Os homens perguntaram aos peregrinos de onde provinham, e eles lhes disseram. Também indagaram onde haviam se hospedado, por quais dificuldades e perigos, comodidades e prazeres haviam passado pelo caminho, e eles contaram. Então, eles disseram:

— Tendes apenas mais duas dificuldades a enfrentar antes de entrar na cidade.

Cristão e seu companheiro pediram, então, que aqueles homens os acompanhassem, e eles concordaram. Avisaram, porém:

— Deveis conquistar isso por meio da vossa fé.

Em meu sonho, vi que eles continuaram até chegar à vista do portão. Reparei, também, que entre os peregrinos e o portão havia um rio, mas não existia uma ponte para cruzarem, e o rio era muito profundo. Ao avistarem esse curso d'água, os peregrinos ficaram muito aturdidos. Contudo, os homens que os acompanhavam disseram:

— Deveis cruzar o rio, do contrário, não chegarão ao portão.

Os peregrinos perguntaram se não havia outro caminho até o portão.

— Sim — responderam —, mas desde a criação do mundo, só dois homens, Enoque e Elias, tiveram permissão para usar esse caminho, e outros não terão permissão até o soar da última trombeta[273].

Os peregrinos, especialmente Cristão, começaram a perder o ânimo. Olharam de um lado ao outro à procura de um caminho

---

[272] Apocalipse 21:18: "E a construção do seu muro era de jaspe, e a cidade de ouro puro, semelhante a vidro puro". 2 Coríntios 3:18: "Mas todos nós, com rosto descoberto, refletindo como um espelho a glória do Senhor, somos transformados de glória em glória na mesma imagem, como pelo Espírito do Senhor".

[273] 1 Coríntios 15:51-52: "Eis aqui vos digo um mistério: Na verdade, nem todos dormiremos, mas todos seremos transformados; Num momento, num abrir e fechar de olhos, ante a última trombeta; porque a trombeta soará, e os mortos ressuscitarão incorruptíveis, e nós seremos transformados".

alternativo, mas não encontraram nenhuma trilha pela qual pudessem transpor o rio. Perguntaram, então, aos homens que os acompanhavam se a água era muito funda.

— Não — responderam —, mas não podemos ajudar nesse caso, pois dizem que as águas são mais fundas ou mais rasas dependendo da sua fé no Rei deste lugar.

Então, resolveram entrar na água. Imediatamente, Cristão começou a afundar e gritou a seu bom amigo Esperançoso:

— Afundo em águas profundas. As vagas cobrem minha cabeça. Todas as ondas estão sobre mim! Selá[274]!

Esperançoso respondeu:

— Tem ânimo, irmão! Eu sinto o fundo, e é bom.

— Ah, meu amigo, as dores da morte me dominam. Não verei a terra de onde escorre o leite e o mel — disse Cristão.

Então, uma grande escuridão caiu sobre Cristão, de modo que ele não conseguiu enxergar nada à sua frente. Ele também perdeu os sentidos, de forma que não pôde se lembrar nem falar com nexo sobre os doces consolos que recebera ao longo da sua peregrinação. Contudo, as palavras que balbuciou indicavam que o horror ainda habitava sua mente e que seu coração temia que ele fosse morrer no rio e nunca receber permissão para passar pelo portão. Como os que observavam também perceberam, Cristão estava perturbado pelas lembranças dos pecados que havia cometido, tanto antes como depois de ter se tornado um peregrino. Notaram, igualmente, que ele estava transtornado pela aparição de demônios e espíritos malignos, assim indicado pelas palavras que lhe escapavam. Esperançoso teve muito trabalho para manter a cabeça do seu irmão acima da água. Por vezes, Cristão sumia

---

[274] Selá: é uma expressão usada no Velho Testamento, principalmente no Livro de Salmos e em Habacuque. É uma instrução sobre a leitura do texto, indicando, provavelmente, uma pausa.

completamente, para emergir de novo, quase morto. Esperançoso também tentou consolá-lo, dizendo:

— Irmão, vejo o portão e homens a postos para nos receber.

Ao que Cristão respondeu:

— É por ti... É por ti que esperam. Tu tens sido Esperançoso desde que te conheci.

— E tu também — replicou Esperançoso.

— Ah, irmão, se eu houvesse me portado com retidão, Ele viria me ajudar, mas por conta dos meus pecados, Ele me fez cair nesta armadilha e me abandonou — falou Cristão.

— Meu irmão — interveio Esperançoso —, tu esqueceste o texto que afirma sobre o perverso: "Porque não há apertos na sua morte, mas firme está a sua força. Não se acham em trabalhos como outros homens, nem são afligidos como outros homens"[275]. Os trabalhos e aflições pelos quais estás passando nessas águas não são um sinal de que Deus te abandonou, mas sim um teste, para ver se te lembrarás do quinhão da Sua bondade que já recebeste, confiando Nele neste momento de angústia.

Então, vi em meu sonho que durante alguns momentos Cristão ficou absorto em pensamento. E Esperançoso disse:

— Anima-te! Jesus Cristo cura!

Ao ouvir essas palavras, Cristão irrompeu aos brados:

— Ah, eu O vejo de novo! E ele me diz: "Quando passares pelas águas estarei contigo, e quando pelos rios, eles não te submergirão"[276].

Assim, os dois tomaram coragem, e o inimigo ficou imóvel como pedra, até que eles prosseguiram. Cristão conseguiu alcançar o fundo com o pé, e no restante da travessia o rio ficou raso. Dessa maneira, atravessaram. Na outra margem, viram os dois homens

---

[275] Salmos 73:4-5.

[276] Isaías 43:2: "Quando passares pelas águas estarei contigo, e quando pelos rios, eles não te submergirão; quando passares pelo fogo, não te queimarás, nem a chama arderá em ti".

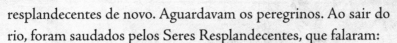

O Peregrino

resplandecentes de novo. Aguardavam os peregrinos. Ao sair do rio, foram saudados pelos Seres Resplandecentes, que falaram:

— Somos seres auxiliadores, enviados para ajudar aqueles que deverão herdar a salvação.

E, em seguida, dirigiram-se ao portão.

Ora, a cidade ficava sobre um grande promontório, mas os peregrinos subiram essa colina com facilidade, pois seus dois acompanhantes os levavam pelo braço. Além disso, haviam deixado suas vestes mortais no rio, uma vez que, embora houvessem entrado na água vestidos, saíram sem suas roupas. Subiram a encosta, portanto, com grande agilidade e velocidade, apesar de a colina ultrapassar as nuvens. Passaram pelas regiões do ar, conversando brandamente e sendo consolados, porque saíram do rio com segurança e por estarem em companhia de seres gloriosos que os auxiliavam.

Olha! Vê os peregrinos viajando
Nuvens como carruagem, e anjos os orientando:
Quem não se arriscaria para alcançar essa altura do ar,
E desse modo salvar-se quando o mundo acabar?

O Peregrino

A conversa que travaram com os Seres Resplandecentes foi a respeito da glória do lugar. Eles lhes explicaram que sua beleza e glória não podiam ser expressas. Lá, disseram, ficava o monte Sião, a Jerusalém celestial, as inumeráveis hostes de anjos e os espíritos dos homens justos que atingiram a perfeição[277].

— Vós estais indo — falaram — ao Paraíso[278] de Deus, onde vereis a Árvore da Vida e comerão seus frutos eternos. Ao chegar lá, recebereis vestes brancas e caminhareis e conversareis com o Rei por toda a eternidade[279]. Lá, não voltareis a ver as coisas que vistes quando estáveis na região inferior, na terra. Não mais testemunhareis tristeza, doença, aflição e morte, pois essas coisas ficaram para trás. Agora, estareis com Abraão, Isaque, Jacó e os profetas: homens que Deus livrou do mal que virá e que agora repousam em seus leitos, cada qual caminhando na retidão[280].

Os peregrinos, então, perguntaram:
— O que faremos no santo lugar?

---

[277] **Hebreus 12:22-24:** "Mas chegastes ao Monte Sião, e à cidade do Deus vivo, à Jerusalém celestial, e aos muitos milhares de anjos; À universal assembleia e igreja dos primogênitos, que estão inscritos nos céus, e a Deus, o juiz de todos, e aos espíritos dos justos aperfeiçoados; E a Jesus, o Mediador de uma nova aliança, e ao sangue da aspersão, que fala melhor do que o de Abel".

[278] A palavra "paraíso" deriva do persa "paradesus", ou os jardins dos reis medas. Assim, paraíso refere-se ao jardim do rei, mantido para seu bem-estar.

[279] **Apocalipse 2:7:** "Quem tem ouvidos, ouça o que o Espírito diz às igrejas: Ao que vencer, dar-lhe-ei a comer da árvore da vida, que está no meio do paraíso de Deus". **Apocalipse 3:4:** "Mas também tens em Sardes algumas pessoas que não contaminaram suas vestes, e comigo andarão de branco; porquanto são dignas disso". **Apocalipse 21:4-5:** "E Deus limpará de seus olhos toda a lágrima; e não haverá mais morte, nem pranto, nem clamor, nem dor; porque já as primeiras coisas são passadas. E o que estava assentado sobre o trono disse: Eis que faço novas todas as coisas. E disse-me: Escreve; porque estas palavras são verdadeiras e fiéis".

[280] **Isaías 57:1-2:** "Perece o justo, e não há quem considere isso em seu coração, e os homens compassivos são recolhidos, sem que alguém considere que o justo é levado antes do mal. Entrará em paz; descansarão nas suas camas os que houverem andado na sua retidão". **Isaías 65:17:** "Porque, eis que eu crio novos céus e nova terra; e não haverá mais lembrança das coisas passadas, nem mais se recordarão".

— Sereis confortados pelo trabalho que tivestes, e a felicidade que experimentareis compensará tudo que padecestes. Colhereis o que semeastes, o fruto de vossas preces, lágrimas e sofrimentos pelo Rei, que vivestes ao longo do caminho[281]. Neste lugar, usareis coroas de ouro e vereis perpetuamente o Santo, pois lá O vereis como Ele é[282]. Também continuamente servireis, com louvores, cantos e graças, Aquele que desejastes servir no mundo, embora com grande dificuldade, por causa da fragilidade da vossa carne. Vossos olhos se deleitarão com a visão, e vossos ouvidos com a aprazível voz do Poderosíssimo. Encontrareis os amigos que partiram antes de vós e também recebereis todos os que vierem depois. Também sereis vestidos com glória e majestade e recebereis equipagem digna para acompanhar o Rei da Glória. Quando ele aparecer nas nuvens ao som das trombetas, nas asas do vento, vós O acompanhareis, e quando Ele sentar no trono do julgamento, vós vos sentareis ao Seu lado. E quando Ele sentenciar todos os iníquos, sejam anjos ou homens, vós também tereis voz no julgamento, pois foram inimigos vossos e Dele[283]. Quando Ele também voltar à cidade, vós também ireis, ao som das trombetas, e estareis sempre em Sua companhia.

---

[281] Gálatas 6:7: "Não erreis: Deus não se deixa escarnecer; porque tudo o que o homem semear, isso também ceifará".

[282] 1 João 3:2: "Amados, agora somos filhos de Deus, e ainda não é manifestado o que havemos de ser. Mas sabemos que, quando ele se manifestar, seremos semelhantes a ele; porque assim como é o veremos".

[283] 1 Tessalonicenses 4:13-16: "Não quero, porém, irmãos, que sejais ignorantes acerca dos que já dormem, para que não vos entristeçais, como os demais, que não têm esperança. Porque, se cremos que Jesus morreu e ressuscitou, assim também aos que em Jesus dormem, Deus os tornará a trazer com ele. Dizemo-vos, pois, isto, pela palavra do Senhor: que nós, os que ficarmos vivos para a vinda do Senhor, não precederemos os que dormem. Porque o mesmo Senhor descerá do céu com alarido, e com voz de arcanjo, e com a trombeta de Deus; e os que morreram em Cristo ressuscitarão primeiro. Ver também: Judas 1:14, Daniel 7:9,10,1 e Coríntios 6:2-3.

O Peregrino

Enquanto se aproximavam do porto, viram um grupo de seres celestiais saírem para recebê-los. Os Seres Resplandecentes que os acompanhavam disseram:

— Este são os homens que amaram nosso Senhor quando Ele veio a este mundo e que deixaram tudo pelo Seu santo nome. E Ele nos enviou para buscá-los e nós os trouxemos até aqui para que eles pudessem entrar e olhar com alegria o rosto de seu Redentor.

Então, o grupo de seres celestiais bradou:

— Bem-aventurados aqueles que são chamados à ceia das bodas do Cordeiro[284].

Muitos dos trombeteiros do Rei, vestidos em roupas brancas e radiantes, também saíram ao seu encontro, cantando melodias em alto som, de modo que os céus ecoaram a canção que entoavam. Esses trombeteiros saudaram Cristão e seu companheiro com dez mil boas-vindas, e o fizeram aos brados e ao som das trombetas.

Então, eles os cercaram de todos os lados. Alguns seguiram à frente; outros, atrás; alguns, à direita; outros, à esquerda. Fizeram isso para protegê-los nessas regiões superiores. Iam cantando e tocando suas trombetas, de modo que, para quem observava a cena, parecia que o céu havia descido para encontrar os peregrinos. E assim foram, juntos, caminhando, e os trombeteiros mesclavam à sua música gestos e olhares que indicavam a Cristão e ao seu irmão o quanto eram bem-vindos e com quanta alegria eles os recebiam. Os dois peregrinos estavam, então, no céu, maravilhados com a visão dos anjos e com a música que ouviam. Também podiam ver a cidade e escutar todos os seus sinos soando para bem recebê-los. Mais que tudo, estavam tomados pelos calorosos e prazerosos pensamentos sobre seu

---

[284] **Apocalipse 19:9:** "E disse-me: Escreve: Bem-aventurados aqueles que são chamados à ceia das bodas do Cordeiro. E disse-me: Estas são as verdadeiras palavras de Deus".

novo lar, com aqueles vizinhos, onde habitariam para sempre. Ah, qualquer língua ou pena seria incapaz de expressar seu glorioso júbilo! E assim, eles chegaram ao portão.

Sobre o portal estava escrito com letras de ouro: "Bem-aventurados aqueles que guardam os Seus mandamentos, para que tenham direito à Árvore da Vida, e possam entrar na cidade pelas portas"[285].

Então, vi em meu sonho que os Seres Resplandecentes instruíram os peregrinos a chamar no portão. Quando assim fizeram, do alto da muralha, surgiram Enoque, Moisés e Elias, além de outros, a quem os Seres Resplandecentes informaram:

— Esses peregrinos vêm da Cidade da Destruição, pelo amor que têm pelo Rei deste lugar.

Então, os viajantes entregaram os pergaminhos que haviam recebido no início da jornada. Estes foram levados ao Rei, que, após lê-los, perguntou:

— Onde estão esses homens?

— Estão esperando do lado de fora do portão — responderam.

O Rei ordenou, desse modo, que o portão fosse aberto:

— Para que através dele entre a nação justa, que observa a verdade[286].

Em seguida, vi, no meu sonho, os dois homens entrando pelo portão, e ao passarem, se transfigurarem. Receberam vestimentas que brilhavam como ouro, e também harpas e coroas: as primeiras para louvar e as segundas como prova de sua honra.

Ouvi em meu sonho que todos os sinos da cidade dobraram com alegria de novo, e aos peregrinos se disse:

— Participai da alegria do Senhor[287]!

---

[285] Apocalipse 22:14.

[286] Isaías 26:2: "Abri as portas, para que entre nelas a nação justa, que observa a verdade".

[287] Mateus 25:21: "Disse-lhe o seu senhor: Muito bem, servo bom e fiel; sobre o pouco

O Peregrino

Ouvi, igualmente, que os viajantes cantaram a plenos pulmões:

— Ao que está assentado sobre o trono, e ao Cordeiro, sejam dadas ações de graças, e honra, e glória, e poder para todo o sempre[288].

Enquanto os portões estavam abertos para admitir os peregrinos, vislumbrei a cidade, que brilhava como o Sol. As ruas eram pavimentadas com ouro, e por elas transitavam muitos homens portando coroas na cabeça, palmas nas mãos e harpas de ouro para cantar louvores.

Também havia seres alados, que respondiam uns aos outros ininterruptamente:

— Santo, Santo, Santo é o Senhor[289]!

E, depois disso, os portões foram fechados, e eu desejei estar entre os bem-aventurados.

Enquanto eu observava isso tudo, voltei-me, olhei para trás e vi Ignorância chegar à margem do rio e logo atravessar, sem a metade da dificuldade que os dois peregrinos enfrentaram. Acontece que, naquele lugar, certo Vã-Esperança, um barqueiro, ajudou-o, atravessando-o com seu barco. Assim, vi os dois subirem a colina para alcançarem o portão, mas o fizeram sem que ninguém os acompanhasse. Nenhuma pessoa saiu para recebê-los ou para encorajá-los. Ignorância leu as palavras sobre o portão e começou a bater, supondo que seria rapidamente aberto para recebê-lo. Mas os homens que vigiavam do alto do portão perguntaram:

— De onde vens e o que trazes consigo?

---

foste fiel, sobre muito te colocarei; entra no gozo do teu senhor".

[288] Apocalipse 5:13: "E ouvi a toda a criatura que está no céu, e na terra, e debaixo da terra, e que estão no mar, e a todas as coisas que neles há, dizer: Ao que está assentado sobre o trono, e ao Cordeiro, sejam dadas ações de graças, e honra, e glória, e poder para todo o sempre".

[289] Apocalipse 4:8: "E os quatro animais tinham, cada um de per si, seis asas, e ao redor, e por dentro, estavam cheios de olhos; e não descansam nem de dia nem de noite, dizendo: Santo, Santo, Santo, é o Senhor Deus, o Todo-Poderoso, que era, e que é, e que há de vir".

— Eu comi e bebi diante do Rei e Ele ensinou nas nossas ruas — respondeu Ignorância.

Então, pediram seu pergaminho para que o levassem ao Rei. Ignorância o procurou sob suas vestes e nada encontrou.

— Não tens nada? — perguntaram.

Mas Ignorância não respondeu. Desse modo, eles foram até o Rei e O avisaram, mas Ele não foi até o portão para vê-lo. Por isso, ordenou que os dois Seres Resplandecentes que haviam acompanhado Cristão e Esperançoso fossem ter com Ignorância e que amarrassem seus pés e mãos e o pusessem para fora da cidade. Assim, eles levaram Ignorância pelo ar até a porta que eu havia visto no flanco da colina e lá o colocaram. Então, notei que aquele era um dos caminhos do céu para o inferno, e também para a Cidade da Destruição.

Então, acordei e vi que tudo havia sido um sonho.

O Peregrino

Agora, leitor, que meu sonho terminei de contar,
Vê se és capaz de o interpretar,
Ou se teu vizinho o é, ou não, mas presta atenção.
Para não interpretar meu livro mal, senão,
Em vez de fazer o bem, estarás servindo,
Ao mal interpretá-lo, ao caminho mal-vindo.

Também presta atenção, eu proponho,
Para não brincar com a forma do meu sonho:
Não deixa que minhas imagens ou a semelhança
Te levem a rixas e brigas que afetem tua confiança.
Deixa isso para crianças e tolos; quanto a ti, certo está,
Que a verdadeira substância do meu texto vejas.

Abre as cortinas, olha para além do véu,
E acha nas minhas metáforas o caminho pro céu.
Aqui, se bem procurares, coisas boas encontrarás,
Coisas úteis que uma mente honesta apreciará.

Mas se aqui algo encontrares que corrompa o tesouro,
Não hesita em descartar, mas preserva o ouro;
E se o metal precioso estiver no meio do ferro?
Jogar fora a maçã e ficar com a casca é um erro.
Mas, se achares que o que escrevi é fútil,
Nada me resta a não ser sonhar de novo com algo útil.

Thomas Sadler fez este óleo sobre tela de John Bunyan em 1684, dois anos antes da morte do escritor. A obra está no National Gallery, em Trafalgar Square, Londres

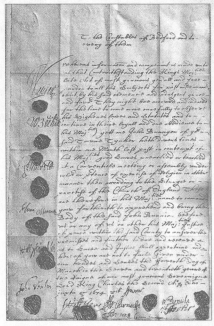

Reprodução do mandado de prisão de Bunyan, condenado por pregar sem licença oficial. Nos quase 12 anos em que cumpriu a sentença, ele escreveu sua grande obra, até ser libertado por indulto real em 1672

Rua da terra natal de Bunyan, o sossegado vilarejo de Elstow, no condado inglês de Bedfordshire

Preciosas relíquias: históricas edições de *O Peregrino*, obra atemporal atravessa os séculos

 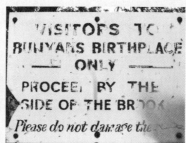

Na aldeia de Harrowden, placa sem conservação orienta visitantes (e pede que não a estraguem) a chegar ao provável local – sinalizado por uma pedra – onde ficava a casa em que Bunyan nasceu

Um livro sem fronteiras: as lições de *O Peregrino* em árabe

Casa onde viveu o autor de *O Peregrino*, em Elstow

Do outro lado do Atlântico: busto em bronze de John Bunyan, no Carnegie Museum of Art, em Pittsburgh, Pensilvânia, Estados Unidos

Foto da Casa de Reunião Bunyan, onde ele se encontrava com seus fiéis: as portas têm dez painéis em baixo-relevo que, a exemplo dos painéis na base da estátua do escritor em Bedford, trazem cenas do progresso dos peregrinos

Obra de mestres: feitas em cobre e bronze por Frederick Thrupp (1812-1895), as portas do casarão de Bunyan têm sua arte inspirada nas Portas do Paraíso, de Ghiberti, no Battistero di San Giovanni, em Florença

Impassível e secular testemunha da injustiça: uma das portas da cadeia do condado de Bedford, onde o escritor esteve preso de 1660 a 1672

Interior da igreja do John Bunyan Museum em Bedford, Bedfordshire, que reúne peças e documentos sobre a vida, o tempo e a obra do autor de O Peregrino

Luz da fé: no rico, vivo e detalhado vitral da igreja de Bedford, Evangelista aponta ao Peregrino o caminho para a Cidade Celestial

Memória e imagem eternizadas: estátuas de John Bunyan em Bedford e em Londres

Túmulo artístico, mas sóbrio, guarda os restos mortais de John Bunyan no cemitério Bunhill Fields, no bairro londrino de Islington

INFORMAÇÕES SOBRE A
GERAÇÃO EDITORIAL

Para saber mais sobre os títulos e autores
da **GERAÇÃO EDITORIAL**,
visite o *site* www.geracaoeditorial.com.br
e curta as nossas redes sociais.

Além de informações sobre os próximos lançamentos,
você terá acesso a conteúdos exclusivos
e poderá participar de promoções e sorteios.

🏠 geracaoeditorial.com.br

f /geracaoeditorial

🐦 @geracaobooks

📷 @geracaoeditorial

Se quiser receber informações por *e-mail*,
basta se cadastrar diretamente no nosso *site*
ou enviar uma mensagem para
imprensa@geracaoeditorial.com.br

GERAÇÃO EDITORIAL

Rua João Pereira, 81 – Lapa
CEP: 05074-070 – São Paulo – SP
Telefone: (+ 55 11) 3256-4444
E-mail: geracaoeditorial@geracaoeditorial.com.br

Impressão e Acabamento | Gráfica Viena
Todo papel desta obra possui certificação FSC® do fabricante.
Produzido conforme melhores práticas de gestão ambiental (ISO 14001)
www.graficaviena.com.br